Collection folio junior

dirigée par
Jean-Olivier Héron
et Pierre Marchand

On ne sait pas grand-chose de la vie de **Chrétien de Troyes.** Il est probablement né à Troyes dans la première moitié du XIIᵉ siècle et est l'auteur de cinq romans se rapportant à la légende arthurienne. D'abord placé sous le patronage de la cour de Champagne (Marie de Champagne, fille d'Aliénor d'Aquitaine, lui propose le sujet de *Lancelot, le Chevalier à la charrette*), Chrétien de Troyes se tourne en 1181 vers le comte Philippe d'Alsace, qui règne à la cour de Flandres. C'est à lui qu'il fait l'hommage de *Perceval.* Il meurt vers 1190, laissant son ouvrage inachevé.

Gismonde Curiace est née à Senlis en 1960. Elle suit, à Paris, l'enseignement de l'école des Beaux-Arts avant de passer une licence d'arts plastiques. C'est après avoir réalisé un livre animé pour un ami qu'elle décide d'arrêter ses études et de devenir illustratrice de livres pour enfants. Spécialisée tout d'abord dans les dessins d'animaux, elle illustre ensuite de nombreux albums et romans, dont *Premier amour* d'Ivan Tourgueniev, *La Petite princesse* de Frances Burnett et *Perceval ou le roman du Graal* de Chrétien de Troyes.

John Howe a illustré la couverture de *Perceval.* Originaire du Canada où il est né en 1957, il a vécu dans un ranch jusqu'à l'âge de dix-huit ans. Il décide ensuite de venir en France, où il suit les cours de l'École des Arts Décoratifs de Strasbourg : il obtient son diplôme en 1980. Actuellement, il habite à Lausanne, en Suisse.
Il aime par-dessus tout le fantastique, la science-fiction, le Moyen Age, les Celtes, la bande dessinée, l'Art Nouveau et le patin à roulettes.

ISBN 2-07-056737-0

© Éditions Gallimard, 1974
© Éditions Gallimard, 1992, pour la présente édition
Dépôt légal : Septembre 1992
Nº d'éditeur : **55083** — Nº d'imprimeur : 57905
Imprimé en France sur les presses de l'Imprimerie Hérissey

Chrétien de Troyes

Perceval
ou
le roman du Graal

Préface d'Anne Paupert
*Traduction de Jean-Pierre Foucher
et André Ortais*

Illustrations de Gismonde Curiace

Gallimard

Préface

Un plaisir de roman

Chrétien de Troyes est l'un des tout premiers
romanciers qui écrivit en langue française de premier dont le nom nous soit connu, puisque les auel-

Perceval, qui a déjà traversé huit siècles de notre
histoire, a cependant conservé tout son attrait pour
le lecteur. Aujourd'hui encore, des romans et des
films s'inspirent des aventures des héros de Chrétien de Troyes et de la quête du Graal (*Les Chevaliers de la Table ronde* [1937], pièce en trois actes
de Jean Cocteau ; *Perceval le Gallois* [1978], film
d'Éric Rohmer ; *Excalibur* [1981], film de John
Boorman, en sont quelques exemples). C'est sans
doute en partie parce que l'histoire racontée par
Chrétien est demeurée inachevée et qu'elle reste
très mystérieuse sous certains aspects. C'est aussi
parce que c'est un texte admirable, même si il
semble parfois étrange ou un peu obscur. Il est écrit
en beaux vers octosyllabes qui ont été adaptés en
prose et en français moderne pour en faciliter la
lecture. Ce travail d'adaptation nous permet d'ap-
précier la beauté et la poésie des images, l'humour
de certaines scènes et le rythme des aventures dans
la langue qui est maintenant la nôtre.

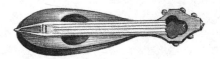

Un pionnier du roman

Chrétien de Troyes est l'un des tout premiers romanciers qui écrivit en langue française (le premier dont le nom nous soit connu, puisque les quelques romans écrits avant les siens sont anonymes) ; on prétend qu'il a vraiment « inventé » le roman français ; or nous ne savons presque rien de lui. On ne connaît ni la date de sa naissance ni celle de sa mort. On ne connaît son nom que parce qu'il l'a indiqué lui-même dans ses romans ; et s'il se dit « de Troyes », c'est qu'il est né ou qu'il a vécu un temps dans cette ville champenoise. Ce que l'on sait avec précision, c'est qu'il a composé cinq romans entre 1170 et 1190 environ, ainsi que quelques poèmes (et peut-être un autre roman) et qu'il a fréquenté les cours de deux importants personnages : Marie de Champagne, fille du roi de France Louis VII et d'Aliénor d'Aquitaine, qui a épousé en 1164 le comte de Champagne Henri Ier – Le Libéral, et le comte de Flandre Philippe d'Alsace (mort en 1911) ; pour la première il a composé le roman de *Lancelot ou le chevalier à la charrette*, et c'est pour le second qu'il a composé le *Roman du Graal*.

Les thèmes de l'œuvre

Perceval est le dernier roman de Chrétien de Troyes qu'il n'a pu achever avant sa mort. Il avait écrit auparavant *Érec et Énide* (vers 1170), *Cligès* (vers 1176), *Lancelot ou le chevalier à la charrette* et *Yvain ou le Chevalier au Lion* (entre 1177 et 1181). Les quatre premiers romans avaient pour sujet principal l'amour et l'aventure chevaleresque ; ces deux thèmes restent très importants dans le dernier roman, mais comme l'indique bien le titre choisi par Chrétien lui-même : « Le Conte du Graal » (c'est-à-dire le récit, ou comme on le traduit souvent, le roman du Graal), le thème du Graal et de la quête entreprise par Perceval pour retrouver le château où il a vu le Graal semble plus important encore ; il introduit une autre dimension, plus mystique, dans le récit des aventures chevaleresques.

Du roi Arthur à l'idéal courtois

Les récits sont tous situés à l'époque du roi Arthur et de ses chevaliers. Ils nous parlent donc d'un temps très ancien, temps des merveilles et des aventures, temps légendaire qui semblait déjà très éloigné au public du XIIe siècle et qui le faisait rêver (le personnage historique qui a donné naissance

à la figure légendaire du roi Arthur a vécu au
Vᵉ siècle...).

Mais ils nous parlent aussi du XIIᵉ siècle – non
pas tout à fait de la vie telle qu'elle était, mais plutôt telle qu'on la rêvait : la cour d'Arthur incarne
un idéal de vie qui s'est développé dans les cours
aristocratiques du XIIᵉ siècle, comme celles que
Chrétien a connues, ce que l'on a appelé plus tard
« l'idéal courtois » ou la « courtoisie » (avec un
sens plus large et plus riche que le sens actuel) ; les
chevaliers de la Table ronde représentent l'idéal de
la chevalerie, qui ne cessait de se développer depuis
le XIᵉ siècle et était en train de se constituer en
« ordre », avec ses rites et ses règles, et que l'Église
s'efforçait de plus en plus de contrôler. Si leurs
aventures sont imaginaires, la vie des « chevaliers
errants » n'est pas sans rapport avec la vie des
jeunes chevaliers de cette époque, chevaliers sans
terres ni femme et qui menaient une vie itinérante,
au hasard des tournois et des guerres.

Plus concrètement, bien des détails de ces
romans, par exemple les scènes d'hospitalité dans
les châteaux, nous renvoient à la vie quotidienne
du XIIᵉ siècle, ou nous dépeignent la société de ce
temps. Il s'agit presque uniquement des nobles,
puisque la littérature dite « courtoise » s'adressait
surtout à un public aristocratique. Mais on assiste
aussi dans un épisode de *Perceval* à l'apparition des
bourgeois et des gens du peuple, quand Gauvain se
trouve assiégé par les habitants dans la cour d'Escavalon et que la demoiselle du château méprise ces
« vilains » dont l'auteur se moque un peu...

Origines de la légende arthurienne

Chrétien de Troyes n'a pas inventé tous ses personnages ; d'autres avant lui citent le roi Arthur, ses chevaliers, et même la Table ronde ; et surtout, Chrétien dit lui-même, au début d'*Érec et Énide,* qu'il a entendu des récits faits par des conteurs. D'autres auteurs en parlent. De nombreux récits circulaient sans doute à cette époque sous forme uniquement orale, répandant les légendes d'origine celte qui constituaient la « matière » de Bretagne dont beaucoup étaient rattachées à la légende arthurienne.

Le monde du roi Arthur

Mais avec ces personnages qui, pour la plupart, existent déjà, il crée tout un univers romanesque appelé à un brillant avenir : le monde d'Arthur et de ses chevaliers, dont les meilleurs sont les compagnons de la Table ronde. Beaucoup sont présents dans le *Roman du Graal :* le roi Arthur lui-même, clef de voûte de ce monde, très puissant, mais qui ne peut rien sans l'aide de ses chevaliers (on le constate au début du roman, lorsqu'il se laisse bafouer par le chevalier Vermeil) ; sa femme la reine Guenièvre, qui est le modèle de toutes les qualités courtoises ; ses bons chevaliers, dont plusieurs sont nommés dans le roman, et en tout premier lieu Gauvain, son neveu, qui appparaît toujours comme le modèle de la chevalerie et de la courtoisie (dans tous les romans de Chrétien, la valeur exceptionnelle du héros se révèle lorsqu'il égale Gauvain ; ici c'est après un échange avec lui, juste après l'épisode des gouttes de sang sur la neige, que Perceval, ayant enfin révélé son nom, est reconnu et accueilli à la cour d'Arthur) ; il y a aussi Keu le sénéchal, connu pour sa méchante langue, qu'Arthur doit supporter car il est presque son frère, le fils de son père adoptif (en effet Arthur, fils du roi Uterpendragon et de la reine Ygerne, a été confié dès sa naissance par Merlin à un bon chevalier, père de Keu, qui l'a élevé secrètement).

La quête de l'aventure

Les chevaliers se trouvent réunis lors de grandes fêtes, comme l'Ascension ou la Pentecôte ; mais ils ne restent pas à la cour. Ils sont sans cesse appelés par la quête de l'aventure ; on le voit bien au moment où la « laide demoiselle » surgit à la cour d'Arthur pour adresser des reproches à Perceval et annoncer d'autres aventures dans lesquelles s'engagent d'autres chevaliers. Ils mènent alors une vie de « chevaliers errants », sans cesse sur les routes, et bien souvent à travers la forêt – la forêt étant le lieu par excellence de l'errance et de l'aventure. C'est ce que va faire Perceval pendant cinq ans : il a fait le vœu de ne jamais s'arrêter plus d'une nuit au même endroit avant d'avoir retrouvé le Graal.

L'aventure peut prendre plusieurs formes : il s'agit souvent de combats contre des adversaires redoutables ; parfois le héros doit affronter des forces surnaturelles ; toujours il lutte contre les forces du mal pour rétablir un ordre constamment menacé. Il lui arrive de rencontrer ces êtres appartenant à un « Autre Monde ». Pour les Celtes, les anciens Bretons (de Grande et de Petite Bretagne), cet « Autre Monde » était à la fois celui des êtres féeriques et celui des morts. Parfois aussi le héros, croyant parvenir à un château « ordinaire », se trouve brusquement dans un univers étrange qui appartient à cet « Autre Monde », au monde des « Merveilles ». C'est le cas par exemple du château des Reines dans lequel se trouve Gauvain à la fin du roman : habité par deux reines supposées mortes depuis longtemps, le château est coupé du monde « réel » par une sorte d'enchantement – Gauvain lui-même est menacé un moment de ne jamais pouvoir le quitter...

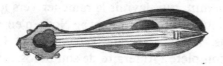

Perceval : un roman d'apprentissage

Dans chacun de ses romans, Chrétien s'attache à un héros exceptionnel. Perceval est différent des autres : il n'est pas un jeune chevalier brillant, fils de roi, mais un « valet » (ou jeune garçon) gallois ignorant de tout, même de son propre nom, élevé par sa mère dans une « forêt dévastée ». Il va découvrir successivement la chevalerie et la cour d'Arthur, et faire l'apprentissage de la « courtoisie », des armes et de l'amour, non sans faire toutes sortes d'erreurs parfois comiques, car il est « nice » (naïf et sot), jusqu'au jour où surviendra soudainement l'aventure par excellence, qui va orienter toute sa vie. L'histoire de Perceval est bien, pour une grande part un « roman d'apprentissage ». La quête du Graal ne fait que le prolonger sur un autre plan : ayant achevé son intégration à la société courtoise (à la cour d'Arthur), Perceval décide de s'engager dans une recherche dont il ignore, tout comme le lecteur, jusqu'où elle le conduira, mais dont il sait qu'elle doit le conduire à se dépasser sans cesse. Pour un auteur chrétien du Moyen Âge, au service du très chrétien Philippe d'Alsace, il ne pouvait s'agir que du cheminement vers Dieu. Et c'est ce qui se produit un vendredi saint : Perceval comprend brusquement qu'il a perdu son temps pendant cinq ans en de vaines prouesses chevaleresques. L'ermite, son oncle, le remet sur le droit chemin, qui devrait le ramener vers le Graal, appelé alors « le saint Graal ». Nous n'en saurons pas plus, il est vrai, sur la façon dont Chrétien aurait complété l'itinéraire de son héros...

La dimension religieuse : le saint Graal

L'origine du Graal est très mystérieuse. Il se peut que la légende s'inspire en partie de sources celtes. Chrétien dit l'avoir trouvée dans un livre donné par le comte de Flandre, mais cet ouvrage est totalement inconnu. Dans le roman de Chrétien, le Graal lui-même est une sorte de plat très riche dont on se sert pour porter une hostie. Ce sont les successeurs de Chrétien – à commencer par Robert de

Boron, auteur à la fin du XIIᵉ siècle d'une *Histoire du saint Graal,* qui en feront une relique sacrée : il deviendra le calice dont le Christ s'est servi pour son dernier repas, et dans lequel Joseph d'Arimathie a recueilli le sang coulant de la blessure du Christ en croix. On retrouve cette légende dans les *Continuations* du roman de Chrétien (on en connaît quatre, entre la fin du XIIᵉ siècle et le début du XIIIᵉ siècle).

La coloration religieuse de la quête du Graal, très marquée après Robert de Boron, est beaucoup moins forte dans le roman de Chrétien de Troyes, où elle garde une grande part de son mystère. La quête de Perceval peut apparaître de façon plus générale comme une quête de la vérité, et du sens même de la vie – le lecteur pouvant y projeter ses propres interrogations.

Perceval, un roman double ?

Le roman se trouve sans cesse enrichi par le développement des aventures de Gauvain ; on pourrait considérer qu'il y a deux romans en un, un « roman de Perceval » (et du Graal) et un « roman de Gauvain ». Le second, qui se déroule parallèlement au premier, sauf à de brefs moments où leurs itinéraires se croisent, fait ressortir la singularité du premier. Gauvain, le bon chevalier, n'est pas appelé à devenir, comme Perceval le « meilleur chevalier du monde » et l'élu d'une aventure d'un autre monde, qui l'amènerait à dépasser l'univers de la cour et de la chevalerie « ordinaire », fût-elle de la Table ronde ; les aventures de Gauvain font souvent apparaître les fautes qu'il a commises. Ne peut-on y voir un symbole dans le fait qu'elle se terminent au château des Reines, où il peut sembler prisonnier d'un univers féminin (Gauvain-le-courtois aimerait trop les femmes, on l'a vu à Escavalon...) et lié au passé ? Quoi qu'il en soit, le récit comporte des épisodes très réussis, comme l'histoire pleine d'humour et de tendresse de la « Demoiselle aux Petites Manches ».

D'autres auteurs, venus après Chrétien de Troyes, ont mené l'histoire à son terme et ont tout expliqué, des origines jusqu'à la fin des « temps aventureux ». Mais le récit de Chrétien, l'un des tout premiers romans de notre langue, reste inégalé, et garde toute sa poésie et son mystère. Les images de Perceval ébloui par la vue de trois gouttes de sang sur la neige – qui évoquent pour lui la « semblance » (l'apparence) du visage de Blanchefleur, blanc et vermeil à la fois – ou plus ébloui encore par une autre « semblance » – un mystérieux cortège avec une lance qui saigne et un « graal » tenu par une très belle jeune fille –, ces images demeurent gravées, à travers les siècles, dans la mémoire des lecteurs. Ils sont entraînés à la suite du héros dans une quête de la vérité et de la beauté qui ne saurait avoir de fin, tout comme le récit de Chrétien, demeuré à jamais inachevé et riche par-là même de toutes ses possibilités.

Anne Paupert.

Qui sème peu récolte peu. Celui qui veut belle moisson jette son grain en si bonne terre que Dieu lui rende deux cents fois, car en terre qui rien ne vaut bonne semence sèche et défaille.

Ici Chrétien fait semence d'un roman qu'il commence et il le sème en si bon lieu que sans profit ce ne peut être. C'est qu'il le fait pour le plus noble qui soit en l'empire de Rome : le comte Philippe de Flandre qui vaut plus que valut Alexandre dont on chante louange partout. Mais celui-ci n'approche pas du comte, car il est sauf de toutes faiblesses et tous vices qu'on trouvait amassés chez ce roi.

Tel est le comte qu'il n'écoute nulle vilaine plaisanterie, nulle sotte parole, éprouvant de la peine s'il entend médire d'autrui quel qu'il soit.

Le comte aime droite justice et loyauté et sainte Église. Il déteste toute vilenie. Il est plus large qu'on le sait. Il donne selon l'Évangile sans hypocrisie ni tromperie, disant : « Ne sache ta main gauche le bien que fera ta main droite ! Le sache seul qui le reçoit et Dieu, qui tous les secrets voit et sait si bien tous les mystères qui sont au cœur et en entrailles. »

Pourquoi l'Évangile dit-il : « Que ta main gauche ne sache ce que fait ta main droite » ? C'est que la main gauche signifie fausse gloire qui vient d'hypocrisie trompeuse. Et la droite représente charité qui ne se vante de ses bonnes œuvres mais les dissimule si bien que nul ne sait, sinon celui-là qui a nom Dieu et charité. Dieu est charité et qui vit en charité, selon l'écrit de saint Paul (où je le vis et je le lus), demeure en Dieu et Dieu en lui.

Sachez donc en vérité que les dons du comte Philippe sont bien de charité. Mais jamais n'en parle à personne, sinon à son cœur généreux qui l'incite à faire le bien. Ne vaut-il pas mieux qu'Alexandre qui jamais ne se soucia de charité ni de nul bien ? Certes, n'en doutez pas. Et Chrétien n'y perdra sa peine, lui qui, par le commandement du comte, s'emploie à rimer la meilleure histoire jamais écrite en cour royale. C'est LE CONTE DU GRAAL dont le comte lui bailla le livre. Voyez comment il s'en acquitte.

Ce fut au temps qu'arbres fleurissent, feuilles, bocages et prés verdissent et les oiseaux en leur latin doucement chantent au matin et tout être de joie s'enflamme. Lors le fils de la dame veuve se leva dans la Gaste Forêt solitaire. Vivement sella son cheval de chasse, prenant trois javelots et sortit du manoir de sa mère. Il se disait qu'il irait voir les herseurs qui lors semaient les avoines avec douze bœufs et six herses.

Ainsi en la forêt il entre et sitôt son cœur se

réjouit pour le doux temps qui s'éjouit et pour ce chant-là qu'il entend de tant d'oiseaux qui mènent joie. Toutes ces choses lui sont douces. Pour la douceur du temps serein il ôte au cheval son frein et il le laisse aller paissant par l'herbe fraîche et verdoyante.

Il s'amuse à lancer ses javelots alentour devant, derrière, à droite, à gauche, en haut, en bas. Et voici qu'il entend venir cinq chevaliers armés, de toutes leurs armes parés. Menaient grand bruit les armes de ceux qui venaient, car souvent elles se heurtaient aux branches des chênes et des charmes. Tous les hauberts en frémissaient. Les lances aux écus se heurtaient. Sonnait le bois, sonnait le fer et des écus et des hauberts.

Le garçon entend mais ne voit ceux qui viennent à bonne allure. Il s'étonne disant :

– Par mon âme, elle dit vrai ma mère, ma dame, qui m'assure que les diables sont les plus laides choses du monde et m'enseigne à me signer pour me protéger de ces diables. Mais ainsi je ne ferai point ! Vraiment je ne me signerai ! Non, le plus fort je choisirai. De mon javelot le frapperai. Nul des autres n'approchera !

Ainsi se parle-t-il avant de les apercevoir. Mais, quand ils sont à découvert, il voit les hauberts étincelants, les heaumes clairs luisants et les lances et les écus, et l'or et l'azur et l'argent. Il s'en écrie, tout ébloui :

– Ah, sire Dieu, pardon ! Ce sont anges que je vois ici ! En vérité, oui, j'ai péché en croyant que c'était des diables ! Ma mère ne me trompait pas quand elle me disait que les anges sont les plus belles choses qui soient, excepté Dieu, plus beau que tous. Mais celui-ci, que je vois bien, est si magnifique que ceux qui l'accompagnent sont dix fois moins beaux que lui! Comme ma mère me l'a dit, on doit surtout adorer Dieu, le supplier et l'honorer. Je vais adorer celui-ci et tous les anges après lui.

Aussitôt il se jette à terre et récite à la file toutes les oraisons que sa mère lui avait apprises. Lors le maître des chevaliers le voit et dit à ses compagnons.

– Arrêtez! Restez en arrière! Ce garçon est chu de peur que nous lui avons faite. Si nous allions vers lui ensemble, il serait si épouvanté qu'il en mourrait peut-être, et il ne pourrait plus répondre à ce que je veux demander.

Les compagnons s'arrêtent et le maître va vers le garçon à grande allure. Il le salue. Il le rassure:

– Garçon, n'aie donc pas peur!

– Je n'ai pas peur, dit le garçon, par le Sauveur en qui je crois! Êtes-vous Dieu?

– Non, certes!

– Alors, qui êtes-vous donc?

– Un chevalier.

– Chevalier? Je ne connais personne ainsi nommé! Jamais je n'en ai vu. Mais vous êtes plus beau que Dieu. Vous ressembler je le voudrais, tout brillant et fait comme vous!

Le chevalier vient tout auprès et lui demande:

– Vis-tu passer par cette lande, aujourd'hui, cinq chevaliers et trois pucelles?

Mais le garçon est curieux de bien autre chose! Il prend la lance dans sa main, voudrait savoir ce que peut être.

– Beau cher sire, vous qui avez nom chevalier, qu'est-ce là que vous tenez ?

– Allons, me voilà bien tombé ! Moi je croyais, beau doux ami, apprendre nouvelles de ta bouche et c'est toi qui en veux entendre ! Je vais te le dire : c'est ma lance.

– Voulez-vous dire qu'on la lance comme l'on fait d'un javelot ?

– Nenni, garçon, tu es trop fou ! Elle sert à frapper un bon coup.

– Alors vaut mieux chacun de ces trois javelots ! J'en peux tuer bête ou oiseau d'aussi loin que je les vois comme on pourrait faire d'une flèche.

– Garçon, dis-moi plutôt ce que tu sais de ces chevaliers que je cherche. Où sont-ils ? Où sont les pucelles ?

Mais le valet saisit le bord de l'écu et, sans façon, sitôt demande :

– Qu'est-ce là ? Et de quoi vous sert ?

– Écu a nom ce que je porte.

– Écu a nom ?

– Mais oui. Je ne le dois tenir pour vil car il est tant de bonne foi que de coup de lance ou de flèche il me protège, arrêtant tout. C'est le service qu'il me fait.

Les chevaliers restés arrière viennent rejoindre leur seigneur.

– Sire, que vous dit ce Gallois ?

– Il ne connaît bien les manières. Il répond toujours à côté. C'est ce qu'il voit qui l'intéresse. Il m'en demande quel est le nom, ce qu'on en fait.

– Sire, sachez certainement que les Gallois sont par nature plus fous que bêtes en pâture. Celui-ci est comme une bête. C'est folie s'arrêter à lui sinon peut-être pour muser, perdre son temps en billevesées.

– Je ne sais trop mais, de par Dieu, je répondrai à ses demandes et ne partirai point avant. Dis, garçon, ne sois pas fâché mais parle-moi des chevaliers et des trois pucelles aussi.

Le garçon le tire par le pan du haubert :

– Dites-moi, beau sire, qu'est-ce que vous avez revêtu ?

– Ne le sais-tu ?

– Moi, non.

– Garçon c'est là mon haubert qui est pesant comme fer. Il est de fer, tu le vois bien.

– De cela je ne sais rien, mais comme il est beau, Dieu me sauve ! Qu'en faites-vous ? A quoi sert-il ?

– Garçon, c'est bien aisé à dire. Si tu me décochais une flèche ou bien l'un de tes javelots tu ne pourrais me faire de mal.

– Sire chevalier, de tels haubers Dieu garde les biches et les cerfs, car je ne pourrais plus en tuer ! Alors pourquoi courir après ?

– Par Dieu, garçon, me diras-tu nouvelles des chevaliers et des pucelles ?

Mais lui, qui a bien peu de sens, poursuit :

– Êtes-vous né ainsi vêtu ?

– Non point ! Personne ne peut naître ainsi !

– Qui vous habilla de la sorte ?

– Garçon, je te dirai bien qui.

– Dites-le donc !

– Très volontiers. Il n'y a pas cinq ans entiers que tout ce harnais me donna le roi Arthur qui m'adouba. Mais, encore une fois, dis-moi que

devinrent les chevaliers qui par là vinrent en conduisant les trois pucelles. En les voyant as-tu pensé qu'ils s'en allaient tranquillement ou qu'ils fuyaient ?

Et il répond :

– Regardez, sire, le plus haut bois que vous voyez qui couronne cette montagne. Là se trouvent les gorges de Valbone.

– Bon et après, beau frère ?

– Les herseurs de ma mère y travaillent, labourant, travaillant ses terres. Si les gens passèrent par là, ils les ont vus, ils le diront.

– Mène-nous, s'accordent les chevaliers, mène-nous donc jusqu'aux herseurs hersant l'avoine.

Le garçon saute sur son cheval, les mène vers les champs d'avoine. Quand les paysans voient leur maître avec ces chevaliers armés, tremblent de peur. Ils en ont raison car ils savent qu'il voudrait être chevalier et sa mère en perdrait le sens. On croyait avoir réussi à ce que jamais il ne vît chevalier ni ne connût chevalerie.

Le garçon dit aux bouviers :

– Vîtes-vous cinq chevaliers et trois pucelles ici passer ?

– Oui tout le jour ils n'ont cessé de faire route par ce défilé.

Le garçon se tourne vers le maître de la troupe :

– Sire, par ici s'en sont bien allés les chevaliers et les pucelles. Maintenant redites-moi nouvelles du roi qui fait les chevaliers et de ce lieu où il demeure.

– Le roi séjourne à Cardoël. Il y était il y a moins de cinq jours où je le vis en ce séjour. S'il en est déjà reparti, il en est qui t'enseigneront où il se trouve, si loin qu'il aille.

Le chevalier s'éloigne au grand galop car il lui tarde de rattraper ceux qu'il recherche. Le garçon s'en retourne vite à son manoir où sa mère avait le cœur dolent et noir pour un si long éloignement. Elle a grande joie à le revoir et court vers lui. Elle l'appelle : « Beau fils ! Beau fils !... » plus de cent fois comme mère l'aimant si fort.

– Beau fils, mon cœur a bien souffert de votre absence. J'ai eu tant de chagrin que j'ai bien failli en mourir. Où avez-vous donc été si loin ?

– Où cela ? Mère, je vous dirai. En rien je ne vous mentirai car très grande joie j'ai ressenti d'une chose que j'ai vue. Mère, vous me disiez bien que les anges et Dieu notre Sire sont si beaux que jamais Nature ne fit si belles créatures ?

– Oui, beau fils, je le dis encore. Je le dis et je le redis.

– Mère, taisez-vous ! car je vis aujourd'hui les plus belles choses qui soient, allant par la Gaste Forêt. Ils sont plus beaux à ce que je crois que Dieu lui-même et tous ses anges.

La mère entre ses bras le prend :

– Beau fils, je te donne à Dieu car j'ai bien grand-peur pour toi. Tu as vu, à ce que je crois, les anges dont les gens se plaignent car ils tuent tout ce qu'ils atteignent.

– Vraiment non, mère ! Oh non pas ! Non ! Ils disent qu'ils se nomment chevaliers.

A ce mot la mère se pâme. Quand elle revient à elle, elle lui dit en grand courroux :

– Ah malheureuse que je suis ! Beau fils, je

croyais si bien vous tenir éloigné de la chevalerie que jamais vous n'en auriez entendu parler! Jamais on ne vous laissait voir un chevalier. Chevalier vous l'auriez été s'il avait plu au seigneur Dieu que votre père veillât sur vous, de même vos autres amis. Jamais il n'y eut chevalier de si haut prix que votre père. Et nul ne fut si redouté parmi les îles de la mer. Beau fils, vous pouvez vous vanter que vous n'avez point à rougir de son lignage ni du mien, car je suis née de chevalier, des meilleurs de cette contrée. Mais tous les meilleurs sont déchus. C'est en tous lieux que l'on voit malheur fondre sur les prudhommes, mêmes sur ceux-là qui se maintiennent en grand honneur et en prouesse! Les mauvais, les lâches, les honteux ne tombent pas tant ils sont bas! Mais c'est aux bons qu'il faut déchoir! Votre père, si vous ne le savez, fut blessé cruellement aux jambes dans un combat. Il n'eut plus la force de défendre ses grandes terres, son trésor gagné par vaillance. Tout alla en perdition et ce fut triste pauvreté. Quant mourut Uterpandragon père du bon roi Arthur, les gentilshommes furent détruits. Les terres furent dérobées. S'enfuirent tous les pauvres gens comme ils pouvaient. Ne sachant où s'enfuir, votre père en litière se fit conduire dans la Gaste Forêt où il possédait ce manoir. Vous étiez lors petit enfant, pas encore sevré, n'ayant guère plus de deux ans. Vous aviez deux frères, deux beaux jeunes garçons. Quand ils furent assez âgés, sur le conseil de leur père, ils allèrent à des cours royales pour avoir armes et chevaux, l'aîné chez le roi d'Escavalon, l'autre chez le roi Ban de Gonneret. Le même jour, les deux garçons furent adoubés chevaliers puis se mirent en route pour s'en revenir au manoir et nous revoir et faire joie à votre père comme à moi. Hélas, n'arrivèrent jamais car furent tous deux déconfits. En combat moururent tous deux, dont j'eus très grand chagrin. Du deuil des fils mourut le père et j'ai souffert vie très amère depuis sa mort. Vous étiez tout mon réconfort et tout mon bien. Car ne me restait nul des miens. Dieu ne m'avait rien plus laissé dont je fusse joyeuse et gaie.

Le garçon n'écoute pas grand-chose de ce que raconte sa mère.

– Donnez-moi, dit-il, à manger. Je ne sais de quoi vous me parlez. Moi, je partirai volontiers au roi qui fait les chevaliers.

La mère le retient comme elle peut. Elle lui apprête une grosse chemise de chanvre, chausses et braies d'un seul tenant à la mode galloise, je crois. En plus une cotte, un chaperon bordé de cuir de cerf. Ainsi l'atourne la mère. Mais plus de trois jours elle ne peut le faire demeurer. Elle en a étrange chagrin, le baise et l'accole en pleurant :

– Beau fils, que j'ai grand-douleur quand je vous vois vous en aller ! A la cour du roi vous irez et lui direz qu'il vous donne des armes. Il ne vous les refusera point, je le sais, mais quand vous devrez vous en servir, comment ferez-vous ? Vous ne les avez jamais maniées ni vu manier par d'autres. Vous n'y serez guère adroit, je le crains. Personne ne peut faire bien ce qu'il n'a pas appris. Mais étonnant est qu'on apprend ce qu'on n'a vu faire souvent ! Beau fils je veux vous donner un conseil qui est très bon à connaître et s'il vous plaît de le retenir grand bien pourra vous advenir. Vous serez bientôt chevalier, s'il plaît à Dieu et je le crois. Si vous trouvez, près ou loin, dame qui d'une aide ait besoin ou demoiselle dans la peine, soyez prêt à les secourir dès lors qu'elles vous en requièrent. Qui aux dames ne porte honneur c'est qu'il n'a point d'honneur au cœur. Servez dames et demoiselles. Partout vous serez honoré. Et si vous en priez aucune gardez-vous de l'importuner. Ne faites rien qui lui déplaise. Si elle vous consent un baiser, le surplus je vous défends. Pucelle donne beaucoup lorsqu'elle accorde un baiser. Si elle porte anneau au doigt ou aumônière à sa ceinture, si par amour ou par prière elle vous les donne, je le veux bien, vous porterez donc son anneau. N'ayez longuement compagnon, en chemin ou en logis, que vous ne demandiez son nom car par le nom on connaît l'homme. Beau fils, parlez aux prudhommes, allez avec eux. Jamais prudhomme ne donne mauvais conseil. Dans l'église comme au moutier, allez prier Notre-Seigneur! Qu'en ce siècle il vous consente honneur, vous accordant de vous tenir pour à bonne fin parvenir!

— Mère, fait-il, qu'est-ce qu'une église?

— C'est un lieu où l'on fait le service de Dieu qui créa le ciel et la terre, y mit les hommes et les femmes.

— Qu'est-ce qu'un moutier?

— Fils, c'est de même : une belle et sainte maison pleine de reliques et trésors. On y sacrifie le corps de Jésus-Christ, le saint Prophète que les Juifs firent tant souffrir. Il fut trahi, jugé à tort. Il souffrit angoisses de mort pour les hommes et pour les femmes. Autrefois allaient en enfer les âmes qui quittaient les corps. C'est lui qui les en retira. A un poteau Jésus fut lié et battu et crucifié en portant couronne d'épines. Tous les jours allez au moutier pour ce Seigneur y adorer.

– Eh bien, j'irai très volontiers, dit le garçon, aux églises et aux moutiers.

Alors il n'est plus à attendre. Il prend congé. La mère pleure. Le cheval est bientôt sellé. C'est à la manière de Galles qu'est vêtu le cavalier avec des ravelins aux pieds qui sont brodequins de cuir vert. Il emporte, suivant l'habitude, trois javelots mais sa mère lui en fait lâcher deux, qu'il ne semble pas trop gallois. (Elle l'eût souhaité laissant les trois !) Il tient dans sa main droite une baguette pour réveiller son cheval.

Sa mère qui l'aime si fort l'embrasse.

– Beau fils, beau fils, que Dieu vous garde et toujours vous guide en sa voie ! Et qu'il vous donne plus de joie qu'il ne m'en reste !

Quand le garçon s'est éloigné de la distance d'un jet de pierre, il tourne la tête en arrière et il voit sa mère tombée comme une morte au pied du pont.

De sa baguette cingle la croupe de son cheval et il s'en va à grande allure (pour s'empêcher de revenir) parmi la grand-forêt obscure. Chevauche jusqu'au déclin du jour. Il couche la nuit dans le bois jusqu'à ce que paraisse l'aube.

Alors il se lève et sitôt monte en selle. Il chemine tant qu'il aperçoit un pavillon dressé dans une belle prairie près d'un ruisselet coulant d'une fontaine. Il s'émerveille d'une si grande richesse. La tente est, d'un côté, d'une étoffe vermeille, verte de l'autre

bordée d'orfroi. Au-dessus, à la pointe du mât, un aigle doré que frappent les rayons du soleil. Toute la prairie est illuminée de sa splendeur. A l'entour de ce pavillon se dressent des huttes et loges galloises. Le garçon s'approche du pavillon, disant :

– Mon Dieu, je vois ici votre maison! Je ferais un grave péché si je n'allais vous adorer. Ma mère ne mentait pas quand elle me disait que les moutiers sont la plus belle chose du monde et me recommandait de ne jamais manquer d'aller prier le Créateur en qui je crois. Oui, j'irai prier, par ma foi et demanderai qu'il me donne chose à manger, car j'ai grand-faim.

Il vient au pavillon, le trouve ouvert. Au milieu voit un lit couvert d'une courtepointe de soie. Sur ce lit était couchée une pucelle qui dormait. Elle était seule. Sans doute ses servantes étaient allées au bois cueillir des fleurs nouvelles pour faire la jonchée autour du lit comme c'est coutume.

Quand le garçon pénétra sous la tente, son cheval fit tel bruit de sabots que la pucelle l'entendit et s'éveilla et tressaillit. Très innocent, le garçon dit :

– Demoiselle, je vous salue car ma mère m'a recommandé de saluer toutes les demoiselles, en quelque lieu que je les trouve.

La pucelle tremble de peur car ce garçon lui semble fou et elle se pense folle aussi de s'être laissée découvrir seule en ce lieu.

– Va-t'en, garçon! Va ton chemin que mon ami ne te voie point!

– Pourtant je vous embrasserai, je le jure! Tant pis pour qui s'en fâchera!

– Jamais je ne t'embrasserai si je puis m'en

défendre, dit la pucelle. Fuis ! Que mon ami ne te trouve ici ou tu es mort !

Mais le valet a les bras forts et il l'embrasse avidement car il ne sait faire autrement.

Il la tient couchée dessous lui malgré défense qu'elle fait en cherchant à se dégager. Mais c'est en vain. C'est d'affilée que le garçon l'embrasse, qu'elle le veuille ou non, sept fois de suite, nous dit le conte. Ce faisant il voit que la pucelle porte au doigt un anneau d'or où brille une émeraude.

– Ma mère m'a dit encore que je vous prenne votre anneau sans rien vous faire de plus. Or çà l'anneau ! Je veux l'avoir !

– Je te jure que tu ne l'auras si tu ne l'arraches de force !

Le valet la prend par le poing, étend le doigt, saisit l'anneau, le passe à son doigt et dit :

– Demoiselle, je souhaite à vous tous les biens ! Je m'en vais maintenant, bien payé. Vous donnez bien meilleurs baisers que les chambrières qui sont dans la maison de ma mère car vous n'avez la bouche amère.

Mais la pucelle pleure et dit :

– N'emporte pas mon annelet ! J'en serai maltraitée et toi tu en perdras la vie un moment ou l'autre, je sais.

Lui ne semble rien comprendre à ces paroles. Il a par trop jeûné, c'est vrai ! Il meurt de faim. Avise un barillet de vin. A côté un hanap d'argent. Puis sur une botte de jonc une serviette blanche et neuve. Il la soulève. Trouve dessous trois beaux pâtés de chevreuil qui ne sont pas pour lui déplaire. Par grande faim voici qu'il entame un pâté qu'il trouve bon. Il se verse grandes rasades et il les avale à longs traits. Ce vin n'est pas des plus mauvais !

– Demoiselle, dit-il, aidez-moi ! Je n'en viendrai à bout tout seul. Venez manger ! Ils sont très bons. Nous en aurons chacun le nôtre. Il en restera un entier.

Mais elle pleure et ne répond rien, qu'il l'invite et qu'il la prie. Elle se tord les mains de douleur.

Il mange encore tant qu'il lui plaît. Il boit tant qu'il en a envie. Puis il recouvre le restant, prenant congé, recommandant à Dieu celle qui ne lui en sait nul gré.

– Dieu vous sauve, belle amie ! Ne soyez pas ainsi fâchée de ce que j'emporte votre annelet. Avant que je meure vous en serez récompensée. Avec votre permission je m'en vais.

La pucelle pleure et dit qu'à Dieu elle ne le recommandera car c'est à cause de lui qu'elle souffrira malheur et honte plus que n'importe quelle captive. Elle le sait bien : jamais il ne lui prêtera aide ni secours. Il l'a trahie, qu'il n'en ait doute !

Elle reste là pleurant. Son ami ne tarde guère à revenir du bois. Il voit que son amie pleure et, curieux, il demande :

– Demoiselle, je crois bien, à ces traces que je vois, que vint ici un chevalier.

– Non seigneur, je vous l'assure. Mais est venu un paysan gallois méchant, laid et fou, qui de votre vin a bu tout autant qu'il lui a plu. A mangé trois de vos pâtés.

– C'est pourquoi, belle, vous pleurez ?

– Il y a plus, seigneur, dit-elle. C'est affaire de mon anneau : il me l'a pris et emporté. J'aurais mieux aimé mourir.

– Par foi, dit-il, il y eut outrage! Puisqu'il l'emporte, qu'il l'ait donc! Mais je crois qu'il fit davantage. Dites-moi sans rien me cacher.

– Sire, dit-elle, il m'embrassa.

– Embrassa?

– Vraiment, je vous l'assure, ce fut bien malgré moi.

– Au contraire! Cela vous plut et vous ne fîtes point de défense, dit le chevalier jaloux. Croyez-vous que je ne vous connaisse? Je ne suis si aveugle ou borgne pour ne voir votre fausseté. Vous êtes entrée en voie mauvaise. Dure peine vous y attend. Jamais votre cheval ne mangera d'avoine, jamais il ne sera soigné que de l'affaire je ne sois vengé! S'il se déferre il ne sera point referré! S'il meurt, vous me suivrez à pied! Jamais vous ne changerez d'habit et vous irez à pied et nue tant que je n'aurai tranché la tête de celui qui vint, ici. Je n'en aurai d'autre justice!

Et, s'étant assis, il mangea.

Pendant ce temps si bien chevauchait le Gallois qu'il rencontra un charbonnier menant un âne.

– Enseigne-moi, dit-il, le chemin pour aller à Cardoël. Le roi Arthur, que je veux voir, y fait des chevaliers, dit-on.

– Ce sentier que tu vois ici mène à un château bien assis au bord de la mer. Si tu y vas tu y trouveras, beau doux ami, le roi Arthur joyeux et triste.

– Dis-moi : pourquoi le roi est-il ainsi à la fois triste et joyeux?

– Je vais te dire. Le roi Arthur avec toute son armée a combattu Rion, le roi des Iles, qui fut vaincu. C'est pourquoi le roi Arthur se réjouit. Mais au même temps il est triste car l'ont quitté ses compagnons et sont partis dans leurs châteaux. Le roi en a un grand chagrin.

Le garçon se souciait peu de ces nouvelles mais entra bientôt dans la voie que lui montrait le charbonnier. Sur la mer il vit un château, très bien planté et fort et beau. Il en sortit un chevalier très bien armé tenant coupe d'or en main droite. De sa main gauche il tient la lance et les rênes et son écu. Il porte armure vermeille qui lui sied bien. Elle plaît fort au garçon qui se dit : « Sur ma foi je m'en vais demander au roi cette armure belle et neuve. Au diable qui en cherche une autre ! »

Il se hâte vers le château qu'il lui tarde d'atteindre. Il rencontre le chevalier tenant la coupe. Celui-ci le retient un peu pour lui demander où il va.

– Je vais au roi, répondit-il, pour lui demander vos armes.

– Va donc et reviens promptement, dit l'autre. Et pendant que tu y seras, répète encore au mauvais roi que, s'il ne veut tenir de moi sa terre, il me la rende ou qu'il envoie pour la défendre, car je proclame qu'elle m'appartient. Et tu diras : « Fiezvous à ce que le chevalier qui vous défie tient en sa main la coupe où vous buviez votre vin ! »

Que ce chevalier cherche un autre pour porter au roi le message ! Le garçon ne s'en chargera. Bien plutôt va en grande hâte à la cour où le roi et ses chevaliers étaient tous assis à manger. La salle était de niveau avec la cour, aussi large que longue et le sol en était dallé. A cheval il entre en la salle et voit le roi Arthur pensif assis au haut bout de la table. Le garçon ne sait qui il doit saluer car le roi il ne le connaît. Alors il rencontre Yvonet tenant un couteau en sa main.

– Valet, toi qui tiens un couteau, montre-moi qui est le roi.

Yvonet répond courtoisement :

– Ami, voyez-le là.

Le Gallois sitôt va vers lui, salue comme il sait faire. Toujours pensif, le roi ne dit mot non plus à un second salut.

– Par ma foi, dit alors le garçon, jamais ce roi ne fit nul chevalier ! Comment donc le saurait-il faire, lui dont on ne peut tirer une parole ?

Et, sans plus insister, s'apprête à repartir en faisant volter son cheval qui se trouve si près du roi que de son museau, croyez-moi, fait tomber le chapeau royal. Le roi lève la tête, regarde le garçon. Lentement sort de ses pensées.

– Beau frère, soyez le bienvenu ! Ne voyez pas de mal à ce que je n'ai répondu. Le pire ennemi que j'aie, celui-là qui me hait le plus, est venu ici pour me contester mon royaume. Il assure qu'il s'en emparera que je le veuille ou non. C'est le Chevalier Vermeil de la forêt de Quinqueroi. La reine s'était assise auprès de moi pour réconforter les chevaliers qui sont blessés. Le Chevalier Vermeil ne m'eût guère courroucé, mais devant moi il prit ma coupe et si follement la leva que sur la reine il renversa tout le vin dont elle était pleine. La reine en éprouva grand-honte. Elle est retournée dans sa chambre où de colère elle se meurt. Que Dieu m'aide, je ne crois pas qu'elle puisse en réchapper vive !

Le garçon n'écoute en rien ce que lui conte là le roi. De sa douleur et de la honte de la reine peu lui chaut ! Le visage du garçon montre des yeux clairs et rieurs. Qui le voit le tient pour fol mais on le tient aussi pour beau et noble.

Le roi dit :

– Ami, descendez. Un valet gardera votre cheval. Je vous le promets : d'ici peu vous serez chevalier, pour mon honneur et votre profit.

Mais le garçon répond :

– Pourquoi vouloir que je descende ? Ceux-là que j'ai vus sur la lande n'ont pas mis pied à terre. Par mon chef je ne descendrai ! Faites vite et je m'en irai.

– Ah, fait le roi, bel ami cher, très volontiers je le ferai.

– Foi que je dois au Créateur, je mets encore condition pour être Chevalier Vermeil : donnez-moi les armes de celui que je rencontrai devant la porte emportant alors votre coupe.

Près du roi se trouvait sire Keu, son sénéchal, qui était parmi les blessés. Courroucé de ce qu'il entendait, il dit :

– Ami, vous avez raison ! Allez vite lui enlever ses armes ! Elles sont à vous. Si vous y parvenez vous n'avez pas été trop sot de venir les chercher ici.

Le roi n'aime pas ces paroles.

– Keu, dit-il, vous avez tort de vous moquer comme vous faites ! Si ce garçon vous paraît mal appris, c'est qu'il a eu de mauvais maîtres. Bon vassal, je crois, il peut être. Oui, c'est mal de railler ainsi. Un prudhomme ne s'avance pas à rien promettre s'il ne peut pas le donner ou ne le veut. Un ami s'attend à ce que promesse soit tenue. Sinon il vaut mieux refuser que laisser espérer en vain. Qui se moque de lui-même. Et c'est bien lui-même qu'il trompe, perdant le cœur de son ami.

Ainsi parle le roi. Et voici que le garçon qui s'en allait voit une pucelle jeune et gente. Il la salue et elle lui rend son salut et tout en riant lui dit :

– Si tu vis assez vieux, je pense et je crois en mon cœur que par tout le monde n'y aura nul meilleur chevalier que toi !

Or la pucelle n'avait ri depuis plus de six ans au moins. Et elle avait parlé si haut que Keu l'avait bien entendue. Cette parole le courrouça si fort qu'il gifla le tendre visage d'un grand coup dont elle fut jetée à terre. Revenant à sa place, Keu aperçut le fou debout près d'une cheminée. D'un coup de pied il l'envoya dans le feu ardent pour avoir dit et répété :

– Cette pucelle ne rira plus jusqu'au jour où reviendra le seigneur de toute chevalerie.

L'un crie, l'autre pleure. Le garçon s'éloigne sans attendre, sans prendre conseil, pour rejoindre le Chevalier Vermeil.

Mais Yvonet qui connaît les sentiers, connaît toutes choses et en apporte nouvelles à la cour. S'est écarté de là tout seul, sans compagnon. Il se faufile par un verger longeant la salle et vient tout droit en cet endroit où le Chevalier Vermeil attend chevalerie et aventure. Le jeune Gallois arrive au galop s'emparer des belles armes. Or le chevalier, pour attendre, avait posé la coupe d'or auprès de lui sur une table de pierre grise. Le garçon lui cria sitôt qu'il fut à portée de voix :

– Mettez bas vos armes! Vous ne les porterez plus! Le roi Arthur vous le demande!

– Serais-tu celui qui s'avance pour soutenir le droit du roi? Si on vient, il faut me le dire!

– Comment, diable, plaisantez-vous, sire chevalier? N'avez encore quitté vos armes? Faites-le, je vous le commande.

– Et moi ici je te demande si quelqu'un vient, de par le roi, qui veut combattre avec moi?

– Chevalier, ôtez votre armure! Sinon je m'en vais vous l'ôter car je ne peux vous la laisser. Encore un mot et je vous frappe, sachez-le bien.

Le chevalier, furieux, se fâche. A deux mains il lève sa lance et un coup terrible en assène par le travers des épaules du jeune Gallois, un coup qui le fait basculer jusqu'aux oreilles du cheval. Le garçon, blessé, prend colère, le vise à l'œil le mieux qu'il peut et lance droit son javelot. Le trait crève la prunelle et ressort par la nuque en répandant la cervelle et le sang. Par le coup et par la douleur le cœur lui manque. Il tombe à terre. Reste étendu.

Le garçon est descendu. Il prend la lance du gisant, la met de côté. Il enlève l'écu du col mais il ne peut venir à bout de le décoiffer de son heaume. Force lui est de le laisser. L'épée, il voudrait l'en défaire mais n'y parvient, ne pouvant même la faire sortir du fourreau. L'empoigne et tâche de tirer.

Et Yvonet qui le voit si embarrassé commence à rire.

– Ami qu'y a-t-il? Que faites-vous?

– Je ne sais trop. Je croyais que votre roi m'avait donné ces armes. Mais j'aurai plutôt déchiqueté ce

mort pour en rôtir les morceaux que saisi l'une de ses armes. Elles lui tiennent si bien au corps que le dedans et le dehors tout tient ensemble, je crois bien.

– Ne vous inquiétez de rien. Je vous les donnerai très bien, si vous voulez.

– Faites donc tôt, dit le garçon, et donnez-les-moi bien vite.

Yvonet se met donc au travail, dévêt le mort. Jusqu'à l'orteil il le déchausse, ne lui laisse haubert ni chausses, ni heaume ni aucune pièce d'armure. Mais le Gallois ne veut quitter ses vêtements. Malgré ce qu'en dit Yvonet, il ne veut passer une moelleuse robe de drap de soie fourrée de laine que vêtait dessous son haubert le chevalier. Ne veut non plus chausser les souliers du vaincu, disant :

– Diable ! Voudrais-tu me faire changer les bonnes étoffes tissées par ma mère pour celles de ce chevalier ? Laisser bonne grosse chemise de chanvre, bien molle et tendre, et ma tunique qui ne prend pas l'eau pour celle-ci que l'eau traverse ? Maudit soit par sa gorge qui changera ses bons habits contre mauvais habits d'autrui !

Il est difficile d'apprendre à un fou. Il n'y a rien à lui dire. Il ne veut garder que les armes. Yvonet l'habille, lui lace ses chausses puis lui attache ses éperons par-dessus les brodequins de cuir. Puis il lui passe le haubert qui ne fut jamais mieux porté, le heaume qui très bien lui sied. Sur la coiffe il le lui assied. Lors il lui montre comment ceindre l'épée lâche à la chaîne. Mais des éperons l'autre ne veut car il préfère sa houssine. Yvonet lui apporte l'écu, la lance et comme il va le laisser là, le garçon lui parle ainsi :

– Ami, prenez mon cheval. Il est très bon. Je vous le donne pour ce que j'en ai plus besoin. Portez au roi sa coupe d'or et saluez-le de ma part. Dites aussi à la pucelle que le sénéchal a giflée qu'à mon pouvoir, sauf que je meure, qu'à ce grossier je m'en vais préparer tel plat que pour vengée elle se tiendra.

Yvonet répond qu'il donnera au roi sa coupe et délivrera le message fidèlement. Ils se séparent et s'en vont.

Dans la salle où sont les barons, entre Yvonet qui au roi sa coupe rapporte, disant :

– Sire, ores faites joie! Le chevalier qui ici vint vous renvoie votre coupe d'or.

– De quel chevalier parles-tu?

– De celui qui s'en va d'ici.

– Est-ce de ce garçon gallois qui me demanda les armes teintes de sinople de celui qui me fit offense la plus honteuse qu'il pouvait?

– Sire, oui vraiment c'est de lui que je parle.

– Mais ma coupe comment l'eut-il? L'autre le prise-t-il tant qu'il la lui ait de bon gré rendue?

– Non pas, sire. Il voulait la vendre si cher au Gallois que celui-ci a dû l'occire!

– Comment se fit-il, bel ami?

– Sire, je ne sais. Tout ce que je vis, c'est que le chevalier le frappa d'un grand coup fauchant et le précipita à terre. Mais le Gallois sut bien répondre d'un coup de javelot qui transperça l'œil et la cervelle, étendant à terre l'homme mort.

Ces paroles mirent Keu en telle rage que peu s'en fallut qu'il en creva. Le roi dit au sénéchal :

– Ah, Keu, quel mal m'avez fait aujourd'hui!

Vous vous êtes moqué de ce garçon alors qu'en lui apprenant mieux l'usage de l'écu et de la lance, celui-là eût fait, sans doutance, un bon chevalier. Mais vous me l'avez éloigné, lui qui m'a rendu en ce jour si grand service. Maintenant il va rencontrer, par malheur, quelqu'un qui, pour gagner son cheval, va le combattre. Il est naïf et sans usage mais il se fait des envieux. Il ne saura bien se défendre et bientôt il sera vaincu mort ou blessé.

Ainsi le roi regrette-t-il le Gallois. Mais que faire en un tel regret? Le roi ne peut que se taire.

Le garçon galope par la forêt. Il en arrive dans une plaine où coule une rivière large plus que d'un jet d'arbalète. Dans le cours de cette rivière toutes les eaux se sont jetées. Par là il se dirige, traversant une prairie mais dans l'eau il n'entre pas car il la reconnaît trop sombre et trop profonde et d'un courant plus rapide que courant de Loire. Il longe la rive et de l'autre côté aperçoit une colline baignée par la rivière et portant un château très riche et très fort dont les tours semblent naître du roc lui-même. Une haute et forte tour s'élève au milieu du château et il voit une barbacane commandant l'estuaire où les flots de la rivière se jettent en combattant dans ceux de la mer. Aux quatre coins de la muraille construite de gros blocs de pierre se dressent quatre tours basses mais de belle allure. C'est un beau château, bien planté et bien disposé en dedans. Devant un châtelet rond un pont de pierre enjambe la rivière, maçonné à chaux et à sable. Au milieu du pont encore une tour d'où se détache un pont-levis agencé de telle sorte qu'il est un pont le jour et la nuit porte close.

Le garçon vers le pont chevauche. Il y rencontre un prudhomme vêtu d'une robe pourprine qui se promenait, l'attendant. Par contenance il tenait une badine. Près de lui deux valets qui ne portaient pas de manteau.

Le garçon, ayant bien retenu ce qu'on lui avait enseigné, le salue en disant :

– Sire, ainsi m'enseigna ma mère.

– Dieu te bénisse, beau frère ! dit le prudhomme qui l'a reconnu naïf et sot. Dis-moi : d'où viens-tu ?

– D'où ? De la cour du roi Arthur.

– Qu'y faisais-tu ?

– Le roi m'y a fait chevalier, Dieu lui donne bonne aventure !

– Chevalier ? Je ne pensais pas qu'en ces temps-ci il se souvînt de chevalerie, mais qu'il avait tout autre chose à faire qu'à adouber un chevalier. Dis-moi, gentil frère, cette armure qui te la donna ?

– C'est le roi.

– Mais comment te la donna-t-il ?

Le garçon lui conte tout ce que vous connaissez. Il serait oiseux de recommencer de le dire. Le prudhomme lui demande alors ce qu'il sait faire de son cheval.

– Je le fais courir comme je veux et où je veux, comme auparavant mon cheval de chasse que j'avais amené de chez ma mère.

– De vos armes que savez-vous faire ?

– Les vêtir et m'en dévêtir, comme me montra celui qui m'en arma après en avoir dépouillé le chevalier mort. Elles me paraissent si légères qu'elles ne me gênent en rien.

– Tout est donc bien. Mais, dites-moi pour quel besoin êtes-vous venu ici ?

– Sire, ma mère m'enseigna que j'allasse vers les prudhommes; que j'écoute ce qu'ils disent car grand profit j'y trouverais.

– Beau frère, bénie soit votre mère car elle vous donna bon conseil! Me voulez-vous rien dire de plus?

– Si.

– Et quoi?

– Que vous m'hébergiez aujourd'hui.

– Très volontiers mais à condition que vous me consentiez un don qui pourrait vous être grand bien.

– Lequel?

– Vous croirez le conseil de votre mère et le mien.

– Sur ma foi, c'est chose entendue!

– Descendez donc!

Et il descend. Un des valets prend son cheval. L'autre le dévêt de ses armes. Le voilà donc en grosses braies, lourds brodequins et cotte de cerf mal taillée que sa mère lui a donnée. Le prudhomme se fait chausser les éperons, monte sur le cheval, pend l'écu au col par la guiche, saisit la lance et dit :

– Bel ami, apprenez maintenant les armes et prenez garde comme on doit la lance tenir, comme on fait aller son cheval et le retient.

Alors il déploie son enseigne, montre au garçon comment on doit tenir l'écu. Un peu le laisse en avant pendre à toucher le cou du cheval. Met la lance sur feutre et pique son coursier qui vaut bien cent marcs, car c'est cheval de qualité. Le prudhomme savait très bien mener le cheval, manier l'écu et la lance car l'avait appris dès l'enfance. Tout ceci plaît fort au garçon qui souhaite aussi bien faire. Quand le seigneur a bien galopé, il revient vers son élève, lance levée.

– Ami, dit-il, voulez-vous jouter comme moi avec la lance, avec l'écu, et bien tenir votre cheval ?

L'autre répond tout aussitôt qu'il ne vivra un jour de plus qu'il ne sache jouter ainsi.

– On peut toujours apprendre ce qu'on veut, dit le chevalier, pourvu qu'on y travaille. Tout métier exige et cœur et peine. Il n'y a honte à ne savoir faire ce qu'on n'a pas appris ni vu pratiquer par quelque autre.

Le Gallois monte à son tour, sitôt portant si adroitement la lance et son écu qu'on l'aurait cru avoir passé ses jours dans les guerres et les tournois. Un vrai coureur et de batailles et d'aventures ! La chose était dans sa nature. Si se joignent nature et cœur, alors plus rien n'est difficile.

Quand le garçon a bien jouté il revient devant le prudhomme qui a grand plaisir à le voir jouter ainsi et arriver lance levée comme on le lui avait montré.

Il demande :

– Sire, ai-je bien fait ? Croyez-vous que je réussisse en y mettant de ma peine ? J'ai grande envie faire comme vous tout ce que mes yeux vous ont vu faire.

– Ami, fait le prudhomme, si vous avez le cœur, vous saurez ce qu'il faut savoir, ce n'est nul doute.

Le prudhomme monte par trois fois et par trois fois le fait monter. Après la troisième fois, il lui dit :

– Ami, que feriez-vous si vous faisiez rencontre d'un chevalier qui vous frappait?

– Je le frapperais aussi!

– Et si votre lance se brisait?

– Je courrais sus et frapperais des poings. Que faire d'autre?

– Ami, c'est ce qu'il ne faut faire.

– Quoi donc alors? Et pourquoi donc?

– Il faut requérir à l'épée.

Il fiche sa lance en terre, met la main à l'épée. Il dit:

– Ami, défendez-vous ainsi devant l'attaque.

Et il répond:

– Que Dieu me sauve, nul n'en sait autant que moi. A toutes les sortes de cibles, chez ma mère tant j'en appris que bien souvent j'en fus lassé.

L'hôte lui dit alors:

– Allons au château! vous y serez mon hôte honoré.

Ils vont tous deux, côte à côte. Et le garçon dit à son hôte:

– Sire, ma mère m'apprit de ne faire longue compagnie à un homme sans savoir son nom. Si elle m'a dit vérité, je veux donc connaître le vôtre.

– Beau cher ami, je me nomme Gorneman de Gorhaut.

Ils vont ainsi jusqu'au château, main dans la main. En montant l'escalier, ils rencontrent un valet apportant au garçon un manteau court, qu'il ne prenne froid, ayant eu chaud à l'exercice. Le seigneur possédait belles et grandes demeures et beaucoup de serviteurs. Un bon manger est apporté et bien servi. Leurs mains lavées, tous deux prennent place à table. Le maître fait asseoir près de lui le garçon et tous deux mangent dans la même écuelle. Ce qu'ils mangèrent, je n'en ferai le compte, mais je dirai qu'ils mangèrent et burent autant qu'ils souhaitaient.

Quand ils se levèrent de table, très courtoisement le prudhomme pria le garçon de rester chez lui un mois entier et même une année pleine, pourvu qu'il le souhaite.

— Sire, dit le garçon, je ne sais si je suis près ou loin du manoir de ma mère, mais je prie Dieu qu'il me conduise auprès d'elle, si je puis la voir encore, car je l'aperçus pâmée au pied du pont quand je la quittai. Est-elle encore vivante ou morte, je ne sais. Mais je sais bien que si elle tomba ainsi, c'était douleur de mon départ. Tant que j'aurai cette inquiétude, je ne pourrai faire long séjour où que ce soit. Je m'en irai demain, au point du jour.

Le prudhomme voit que prier davantage serait de nul effet. Déjà les lits sont faits. Sans plus rien dire ils vont donc se coucher. Le lendemain, de grand matin, l'hôte se lève, fait porter devant lui au lit du garçon chemise et braies de toile fine, chausses teintes en rouge de brésil, cotte de drap de soie tissé en Inde. Il le prie de s'en revêtir. Mais le garçon s'en défend bien!

— Beau sire, vous pourriez mieux dire! Voyez les habits que me fit ma mère. Ne valent-ils pas mieux que ceux-ci? Et vous voulez que je les change!

— Par ma tête et par mes deux yeux, garçon, vous vous trompez! Ceux que j'apporte valent mieux.

— Non! Valent pis!

— Bel ami, ne m'avez-vous dit que vous obéiriez à tous mes commandements?

– Ainsi ferai et je n'y manquerai en rien.

Le garçon se vêt donc, mais non des habits donnés par sa mère. Le maître se baisse et lui chausse l'éperon droit. Telle était en effet la coutume : qui faisait un chevalier devait lui chausser l'éperon droit. Des valets s'approchent, portant les pièces de l'armure, se pressant à l'envi pour armer le jeune homme. Mais c'est le maître qui lui ceint l'épée et l'embrasse. Il dit :

– Avec cette épée que je vous remets, je vous confère l'ordre le plus haut que Dieu ait créé au monde. C'est l'Ordre de Chevalerie qui ne souffre aucune bassesse. Beau frère, souvenez-vous, si vous devez combattre, que, lorsque crie merci vers vous votre adversaire vaincu, vous devez le prendre en miséricorde et non l'occire. Ne parlez pas trop volontiers. Qui parle trop prononce des mots qui lui sont tournés à folie. Qui trop parle fait un péché, dit le sage. Je vous prie aussi : s'il vous arrive de trouver en détresse, faute de secours, homme ou femme, orphelin ou dame, secourez-les si vous pouvez. Vous ferez bien. Enfin voici une autre chose qu'il ne faut pas mettre en oubli : allez souvent au moutier prier le Créateur de toutes choses qu'il ait merci de votre âme et qu'en ce siècle terrien, il vous garde comme son chrétien.

Et le Gallois répond :

– De tous les apôtres de Rome, soyez béni, beau sire, qui m'enseignez comme ma mère !

– Beau frère, écoutez-moi : ne dites plus que vous savez toutes ces choses de votre mère. Jamais ne vous en ai blâmé mais, désormais, je vous en prie, il vous en faut vous corriger. Si vous le faisiez

51

encore, on dirait que c'est une folie. Pour cela gardez-vous-en bien.

— Beau sire, que dirai-je donc ?

— Que vous enseigna ce vavasseur qui vous chaussa l'éperon.

Le garçon le promet. Le seigneur fait sur lui le signe de la croix, disant encore :

— Puisqu'il te plaît d'aller sans attendre, adieu !

Le nouveau chevalier quitte son hôte. Il lui tarde de retrouver sa mère, si Dieu lui donne de la revoir vivante et en bonne santé. Il chevauche par la forêt solitaire qu'il aime mieux que terres plaines. Chevauche tant qu'il aperçoit un château fort bien situé. Dehors des murs, il n'y avait que la mer et une terre désolée. Il se hâte d'arriver au château. Il arrive devant la porte. Il trouve un pont qu'il faut passer, mais si faible est ce pont que c'en est un danger. Cependant le jeune chevalier s'engage et passe sans dommage. Il se trouve devant une porte fermée. Il y frappe du gantelet et il huche à bonne voix. Tant il frappe qu'il aperçoit à la fenêtre d'une salle une pucelle maigre et pâle. Elle se penche :

— Qui est-ce là qui appelle ?

— Belle amie, c'est un chevalier qui vous prie de le laisser entrer et de le loger ici cette nuit.

— Sire, vous entrerez mais nous en saurez peu de gré. Nous ferons pourtant pour le mieux.

La pucelle disparaît et si longuement se fait attendre que le jeune chevalier appelle de nouveau. Alors arrivent quatre sergents tenant chacun et bonne hache et bonne épée. Ils ouvrent la porte et ils disent :

– Sire, venez avant!

Les quatre sergents auraient eu belle allure s'ils n'avaient été accablés de jeûnes, de veilles et de misères. Mais c'était pitié de les voir.

Si, au-dehors, la terre était nue et désolée, au-dedans le jeune chevalier trouva bien peu. Partout où il allait, rues désertes, maisons en ruine. On ne voyait homme ni femme. Il y avait deux abbayes : l'une de nonnains éperdues, l'autre de moines désemparés. Point de parements, point de tentures! Demeures lézardées, murs fendus et tours décoiffées. Portes ouvertes, nuit comme jour.

Dans cette cité quasi morte, moulin ne moud ni four ne cuit. En nul endroit on ne trouve pain ni gâteau, ni rien à vendre même pas pour un denier. Point à chercher vin ni cervoise.

Les quatre sergents l'ont mené vers un palais couvert d'ardoise. L'ont descendu et désarmé. Sitôt par les degrés accourt un domestique lui apportant un manteau gris dont il lui couvre les épaules. Un autre étable son cheval. Mais là ni blé ni foin ni avoine; bien peu de paille s'il en reste. La maison ne peut offrir rien d'autre.

Des valets guident le jeune homme par un escalier jusqu'en une grande et belle salle où s'avancent à sa rencontre deux hommes et une demoiselle. Les deux hommes vieillards chenus, mais pas encore chenus tout blanc. On les eût dit dans la force de l'âge et en verdeur du sang s'ils n'avaient été accablés par le souci.

La demoiselle qui s'approchait était plus gracieuse, vive, élégante qu'épervier ou papegai. Son manteau et son bliaut étaient de pourpre sombre,

53

étoilé de vair, garni d'hermine (garniture non point pelée, croyez-le bien) avec un beau collet de martre zibeline noire et blanche.

Si j'ai déjà décrit la beauté que Dieu peut mettre en un corps ou en un visage de femme, je veux le faire une autre fois sans mentir d'une seule parole. On eût cru ses cheveux d'or fin, qui flottaient sur ses épaules tant ils étaient blonds et luisants. Son front était haut, blanc et lisse, comme taillé de main d'homme dans le marbre ou l'ivoire ou un bois précieux ; large entre-œil, sourcils brunets, les yeux vairs, bien fendus et riants. Elle avait le nez droit. Le blanc sur le vermeil éclairait son visage mieux que sinople sur argent. Pour en ravir le cœur des gens, Dieu avait fait d'elle la Passe-Merveille. Jamais Dieu n'en avait fait telle. Plus jamais n'en devait créer.

Sitôt le chevalier la voit, il la salue et elle lui puis il salua les deux seigneurs. La demoiselle le prend par la main gentiment et dit :

– Beau sire, votre hôtel ne sera point aujourd'hui ce qu'il conviendrait pour un prudhomme. Si maintenant je vous disais à quoi nous en sommes réduits, vous pourriez croire que c'est malice et me soupçonner d'avarice désirant vous voir partir. Mais venez, je vous en prie. Prenez notre hospitalité comme nous pouvons vous l'offrir et que Dieu vous donne un meilleur lendemain !

La demoiselle le mène dans une salle qui est fort belle et large et longue et dont le plafond est sculpté. Et ils se sont tous deux assis dessus un lit à courtepointe de soie. Autour d'eux se tiennent de petits groupes de chevaliers silencieux, les yeux fixés sur celui-là qui près de leur dame ne dit mot. S'il ne dit rien, c'est que sans faute il se souvient du conseil que lui donna le prudhomme. « Grand Dieu, se demandent-ils, serait-il donc vraiment muet ? Ce serait grand-pitié car jamais ne naquit de femme un chevalier si bien fait. Qu'il a bon air auprès de notre maîtresse ! Comme elle est belle à son côté ! Si seulement ils voulaient bien cesser de se taire ainsi ! En vérité ils sont si beaux que Dieu les a faits l'un pour l'autre, dirait-on, tant ils se conviennent ! »

Ainsi les chevaliers devisent-ils entre eux. Cependant que dessus le lit la demoiselle attend le moindre signe du garçon. Mais il était clair maintenant qu'il ne prononcerait un mot, si elle ne l'y encourageait. Alors elle lui demande :

– Sire, d'où venez-vous donc aujourd'hui ?

– Demoiselle, j'ai passé la nuit chez le seigneur très généreux d'un fort château où il y a cinq grosses tours de bel ouvrage, une grande et quatre petites. Je ne sais le nom du château. Mais je connais le nom de son maître qui est Gorneman de Gorhaut.

– Ah, bel ami, comme je suis heureuse d'entendre vos courtoises paroles ! Il est prudhomme, rien n'est plus vrai ! Que Dieu, roi du ciel, vous en sache gré ! Qui donc serait prudhomme si celui-là ne l'était pas ? Sachez que je suis sa nièce, quoique je ne l'aie vu depuis longtemps. Depuis que vous avez quitté votre maison vous n'avez certes jamais rencontré un meilleur chevalier. Il vous a accueilli en joie et allégresse, comme il en a coutume, lui qui est noble, riche et puissant. Chez nous les miches sont rares. N'en est que six qu'un de mes oncles, qui est prieur d'un monastère, m'envoya pour souper ce soir. Et un barillet de vin cuit. Nous n'aurions rien de plus si l'un de nos valets n'avait d'une flèche, aujourd'hui tué un chevreuil.

La demoiselle alors commande qu'on apporte la table et tous s'assoient pour souper. Petitement on mange, mais de bon appétit. Ceux qui doivent veiller cette nuit (ce sont là cinquante hommes d'armes, sergents et chevaliers) vont rejoindre leur guette. Ceux qui veillèrent la nuit passée et dormiront cette nuit sont nombreux autour du visiteur. On soigne celui-ci au mieux : il a draps blancs, riche couverture et doux oreiller pour sa tête. On lui apprête tout ce qu'il faut pour une nuit de délices (sauf le plaisir que donne une pucelle, ou une dame s'il en avait droit). Mais il ignore ces passe-temps. Il n'y pense ni peu ni beaucoup. Sans souci bientôt il s'endort.

Seule, enfermée dans sa chambre, son hôtesse ne peut dormir. Que le garçon repose à l'aise ! Elle, faible femme, songe, livrée au combat qui se fait en elle : elle en sursaute et tourne et vire et se démène. Soudain elle jette sur sa chemise un mantelet de soie écarlate, court hardiment à l'aventure. L'enjeu est d'importance : ce qu'elle a décidé c'est d'aller vers son hôte et lui confier tout son chagrin.

Elle quitte son lit, sort de sa chambre, se trouve saisie d'une telle peur qu'elle en pleure d'angoisse entrant dans l'autre chambre où le chevalier sommeille paisiblement. Elle est en larmes auprès du lit où repose le chevalier. Tant elle sanglote et soupire, penchée sur lui, agenouillée au bord du lit (sans oser rien de plus), qu'il s'en éveille, surpris de se sentir visage tout mouillé. Il aperçoit la demoiselle agenouillée au bord du lit. Elle le tient par le cou, étroitement embrassé. Par courtoisie il l'embrasse de même et, la tenant si près de lui, il lui dit :

– Belle, que vous plaît-il ? Pourquoi êtes-vous venue ici ?

– Pitié, sire chevalier ! Pour Dieu et pour son Fils, je vous supplie de ne me sentir plus vile parce que je suis venue si peu vêtue, comme vous voyez. Je n'y ai pensé en folie un instant. Je ne puis plus endurer que nul jour ne passe sans souffrance. Telle est ma vie. Mais autre nuit je ne verrai ni autre jour que celui qui vient car je vais me tuer. Des trois cent et dix chevaliers qui gardaient ce château, il ne m'en reste que cinquante. Les autres ont été emmenés par Anguingueron, le sénéchal de Clamadeu des Iles, perfide chevalier qui les occira ou jettera en prison. Le sort des uns vaut celui des autres car tous sont promis à la mort. Tout un hiver, tout un été, nous avons été assiégés par Anguingueron qui jamais ne s'éloigna d'un pas. Et ses forces se sont augmentées de jour en jour tandis que les nôtres sont devenues de plus en plus pauvres. Nos vivres se sont épuisés. Il n'en reste plus pour le déjeuner d'une abeille ! Si Dieu ne s'y oppose, demain nous nous rendrons sans conditions car nous ne pouvons plus nous défendre. Telle est la loi qu'il nous faut accepter. Moi, infortunée, je serai livrée à Clamadeu comme captive ! Mais ils ne m'auront pas vivante. Je me tuerai. Au vainqueur je ne laisserai que mon cadavre. Que m'importe ce qui adviendra ! Clamadeu, qui me veut, ne m'aura que sans âme et sans vie. J'ai gardé sur moi dans un écrin un couteau à fine lame. Je saurai m'en servir! Voilà ce que j'avais à vous dire. Je regagne ma chambre et vous laisse reposer.

Le jeune chevalier saura bientôt, s'il veut, faire preuve de sa vaillance. La demoiselle son hôtesse n'est pas venue à lui dans un autre dessein que de lever en son cœur le désir de batailler pour l'aider à se défendre et défendre sa terre. Il lui dit :

– Belle amie chère, ce n'est point le moment de montrer triste visage. Prenez courage, séchez vos larmes et venez ici au plus près. Je vous en prie : ne pleurez plus! Dieu, s'il lui plaît, vous fera un demain meilleur que vous ne le pensiez tout à l'heure. Venez vous mettre dans ce lit qui est assez large pour deux. Il ne se peut que vous me quittiez en cet état.

Elle répond :

– Je viendrai, s'il vous plaît.

Le jeune chevalier l'embrasse, la tenant bien serrée contre lui. Il l'a mise gentiment sous la couverture. La demoiselle accepte ses baisers sans qu'il lui en coûte beaucoup!

Ainsi furent-ils toute la nuit, l'un après l'autre et bouche à bouche jusqu'à l'approche du matin. Dans cette nuit l'hôtesse a trouvé consolation : bouche à bouche et bras à bras ils ont reposé jusqu'à l'aube.

Alors elle regagne sa chambre. Sans nulle aide elle fait toilette, n'éveillant personne.

Les guetteurs, dès qu'ils voient le jour, éveillent les endormis. La demoiselle du château retourne vers son chevalier et lui dit avec grand-douceur :

– Sire, que Dieu vous donne un bon jour! Je pense que vous ne tarderez pas en ce lieu. Votre temps en serait perdu. Vous nous laisserez. Je ne serais pas honnête de me plaindre de votre départ. Nous vous avons reçu en si grande pauvreté! Je prie Dieu qu'il vous réserve meilleur hôtel où vous aurez sel, pain et vin et beaucoup de bonnes choses.

– Belle, ce n'est pas aujourd'hui que j'irai héberger ailleurs. Quand je quitterai ce château, j'aurai ramené la paix en votre terre, si je le peux. Que je rencontre là-dehors votre ennemi, j'aurais bien du dépit s'il demeure là plus longtemps, car il a tort. Si je le bats, si je l'occis, en retour je vous requiers votre amour. Je ne veux d'autre récompense.

– Sire, répond-elle finement, vous me demandez pauvre chose. Si je vous la refusais, on dirait que c'est fol orgueil. Et pour cela je vous l'accorde. Toutefois je ne veux pas que vous alliez risquer la mort afin que je sois votre amie. Ce serait grande pitié! Croyez que vous n'êtes pas d'âge face à celui qui est là sous ces murs. Un chevalier si grand, si dur, si fort!

– Vous le verrez bientôt, répond-il. Car j'irai le combattre. Rien ne saura m'en écarter.

La demoiselle sait bien faire. Elle contredit son projet en espérant qu'il y tiendra. C'est le jeu de la demoiselle.

Le jeune chevalier demande ses armes et on les lui apporte. On l'en revêt. On lui fait monter un cheval bien harnaché. La porte s'ouvre. Au cœur de chacun, que d'angoisses! Et l'on prie:

– Sire, que Dieu vous aide en cette journée et veuille le malheur d'Anguingueron qui a dévasté notre pays!

Pleurant ainsi, tous et toutes lui font conduite jusqu'à la porte. Quand ils le voient hors des murailles ils s'écrient d'une seule voix :

– Beau sire, que la vraie Croix où Dieu permit les souffrances de Son Fils vous préserve aujourd'hui de mort et de prison! Qu'il vous ramène sain et sauf en tel lieu qui vous plaira!

Ainsi prie-t-on dans le château. Les ennemis assiégeants le voient venir et le montrent à Anguingueron, leur sénéchal, assis près de sa tente. Il était sûr qu'on viendrait ce jour-là lui rendre le château ou que quelqu'un en sortirait pour lui offrir le combat. Déjà on lui avait lacé ses chausses et ses soldats étaient joyeux d'avoir conquis tout ce pays et le château sans grande peine.

Sitôt qu'Anguingueron aperçoit le chevalier, il se fait armer sans tarder, enfourche un robuste cheval et crie :

– Valet, que nous veux-tu? Qui t'envoie? Viens-tu pour la paix ou pour la guerre?

– A toi d'abord! répond bien fort le jeune chevalier. A toi de répondre! Réponds! Que fais-tu ici? Pourquoi as-tu occis les chevaliers de la demoiselle et gâté sa terre?

– Que me contes-tu là? Je veux que ce jour même on vide le château que l'on a bien trop défendu. Je veux qu'on me rende la terre. Mon seigneur aura la demoiselle!

– Au diable tes paroles et toi qui les cries! Les choses n'iront pas comme tu crois. Et d'abord renonce à tout ce que tu réclames à la pucelle!

– Sottises! Oui, par saint Pierre! Souvent paie le marché qui n'a rien acheté!

Le chevalier en a assez. Il abaisse sa lance et l'un sur l'autre tous deux se précipitent en laissant courir leurs chevaux à grande allure. La colère les tient. Leurs bras sont robustes. Les lances volent en éclat au premier choc. Le sénéchal Anguingueron est bientôt par terre. Malgré son écu il est blessé au cou et à l'épaule. Une grande douleur le point. Il est tombé de son cheval. Le chevalier se demande d'abord que faire mais bientôt il saute à terre, tire son épée et va fondre sur l'autre. On ne peut raconter tous les coups un par un mais vous devez savoir que longue fut la bataille. Enfin Anguingueron s'écroule et le chevalier se jette sur lui en grande fureur.

— Pitié ! crie le sénéchal.

Mais le chevalier n'y songe pas quand il se souvient soudain des conseils du prudhomme : ne jamais occire le cœur léger un chevalier vaincu.

Anguingueron dit encore :

— Ami, n'aie pas la cruauté de m'achever ! Épargne-moi. Tu es un bon chevalier mais qui donc croira que tu as pu me vaincre si je ne te porte le témoignage en présence de mes soldats, devant ma tente ? Alors on me croira. On connaîtra ta valeur. Nul chevalier n'aura eu plus de raison de se glorifier de sa prouesse. Si tu as un seigneur à qui tu doives reconnaissance, envoie-moi vivant à lui : de par toi je lui dirai comment tu m'as conquis en bon combat, et à lui je me donnerai qu'il décide de mon sort.

— Au diable qui en voudrait davantage ! Sais-tu ce que tu feras ? Tu iras à ce château et tu diras à la belle qui est mon amie que jamais en toute ta vie tu ne lui nuiras. Puis te mettras en sa merci.

– Alors tue-moi, répond le sénéchal. Car elle me fera tuer puisqu'elle n'a d'autre désir. Je fus de ceux-là qui ont occis son père. Aussi j'ai occis ou pris tous les chevaliers de sa fille. C'est pour cela qu'elle me hait. Tu me donnes là dure prison. Rien de pis ne peut m'arriver. Mais n'as-tu pas quelque autre ami, quelque autre amie, qui ne songe à me faire si grand mal? C'est là que tu m'enverras, je t'en prie!

Le chevalier lui prescrit alors d'aller dans un autre château chez un prudhomme dont il lui indique le nom. Ce château-là il le lui décrit mieux que le ferait un maçon : le pont, les tourelles, la tour, et les murailles tout autour qui baignent dans une eau profonde. Le vaincu, qui l'écoute, voit bien que c'est le lieu où il doit être le plus haï du monde. Il s'écrie :

– Beau sire, je n'en suis pas guéri! Dieu me pardonne, tu me jettes en mauvaise voie, en mauvaises mains. Au seigneur de ce château j'ai occis, en cette guerre, un de ses frères. Tue-moi plutôt que de m'envoyer chez lui. Car il me tuera si j'y vais.

– Tu iras donc dans la prison du roi Arthur. Tu salueras le roi et de par moi tu lui diras qu'il fasse chercher en sa cour la pucelle que le sénéchal Keu gifla parce qu'elle avait ri en me voyant. C'est à elle que tu te rendras. Tu lui diras que je prie Dieu de ne pas mourir avant de l'avoir vengée.

Cet ordre-là, Anguingueron est tout prêt à l'accepter. Il promet qu'il fera ainsi. Il part en commandant d'emporter son étendard et de lever le siège. Les assiégeants s'en vont. Il ne reste ni brun ni blond.

Le chevalier vainqueur s'en retourne au château. Mais il trouve sur le chemin les assiégés sortis à sa rencontre lui faire honneur. Ils sont en joie. Ils le descendent de son cheval. Ils le déchargent de ses armes, mais dans leur joie ils sont déçus qu'il ait épargné le vaincu.

– Pourquoi n'avoir pas fait voler sa tête?

Il leur répond :

– Seigneurs, j'aurais mal fait. Il a occis vos compagnons. Malgré moi vous l'auriez tué. Que vaudrais-je si, l'ayant vaincu, je ne lui avais pas fait grâce? Quelle grâce? Le savez-vous? S'il garde sa promesse, il ira se mettre en la prison du roi Arthur.

Lors arrive la demoiselle toute à sa joie. Elle entraîne son ami dans sa chambre, qu'il y prenne aise et repos. De la baiser et caresser elle ne lui fait nulle défense. Que leur importent le boire et le manger? Rien ne leur plaît plus que leurs tendresses et ils y donnent tout leur temps.

Cependant le sire Clamadeu des Iles se croit en un jour de gloire. Il accourt, croyant déjà voir le château tombé à sa merci et la demoiselle en son pouvoir. Mais surgit un valet tout en larmes.

– Au nom de Dieu, sire, les choses vont bien mal! Anguingueron, votre sénéchal, a dû se rendre et est parti, sur sa parole, se mettre en la prison du roi Arthur.

– Qui fut vainqueur? Comment donc a-t-il fait? D'où vient un chevalier capable de faire crier grâce à un homme aussi preux que mon sénéchal?

– Beau sire, je ne connais pas le nom de ce vainqueur. Mais je l'ai vu sortir de Beaurepaire armé d'armes toutes vermeilles.

Clamadeu est près d'en perdre le sens. Il demande au valet que faire.

– Sire, dit celui-ci, je ne vous conseille autre chose que vous en retourner car à aller plus loin nous ne gagnerons rien.

Alors s'avance un chevalier tout chenu qui avait enseigné les armes à son maître. Il interrompt :

– Valet, tu ne dis rien de bon. Pour cette heure il nous faut meilleur conseil que le tien, et plus sage. Sire Clamadeu ferait folie de t'en croire. Il faut aller de l'avant. Voilà ce que je dis.

Et dit encore :

– Sire, savez-vous comment nous pouvons conquérir le château, la dame et son défenseur ? L'affaire est aisée : dans Beaurepaire, il n'y a plus à boire ni à manger. Les défenseurs n'ont plus de forces alors que nous sommes en bon point. Ni soif ni faim nous n'avons et nous pouvons sans peur soutenir un dur assaut. Qu'ils sortent seulement de leurs murs pour se mesurer avec nous ! Nous enverrons vingt chevaliers devant la porte, tous prêts à la mêlée. Le chevalier qui vit des heures si plaisantes auprès de son amie Blanchefleur voudra lui montrer sa vaillance. Il sortira bien. Plus qu'il ne peut il voudra faire. Il ne pourra plus l'emporter. Il sera pris ou il mourra car ses compagnons lui seront de peu de secours. Nos vingt hommes les amuseront et pendant ce temps-là nous nous coulerons par cette vallée et déboucherons soudain, les cernant de toutes parts.

– C'est très bon conseil, dit Clamadeu. Nous y mettrons nos meilleurs hommes, oui, nos quatre cents chevaliers et mille sergents bien pourvus.

Nous prendrons ces gens-là du château comme des mannequins bourrés de paille!

Le roi Clamadeu envoie donc devant la porte vingt chevaliers déployant gonfanons et bannières. Le Gallois les a bien vus. Il fait ouvrir tout grand la porte comme il le veut et se jette dehors pour assaillir les vingt beaux hommes nouveaux venus. Hardi et fier il les attaque tous ensemble. Celui qu'il frappe ne le prend pas pour un novice! Les entrailles connaissent le fer de sa lance. Il transperce le sein, rompt le bras. A un troisième casse la clavicule. Partout autour il tue, il blesse, il fait des prisonniers. Les chevaux, il les donne à qui en a besoin.

Arrivent en haut du vallon les quatre cents chevaliers et les mille sergents. Ils voient la défaite de leurs amis et foncent en masse de furie vers la porte du château demeurée grande ouverte. Mais les assiégés en rangs serrés les attendent là et les reçoivent rudement. Pourtant ils ne sont que petit nombre et faibles par famine. Poussent les chevaliers et poussent derrière les sergents tant que les assiégés reculent et s'enferment dans la forteresse. Sur la porte et du haut des tours, les archers tirent dans la foule des assaillants. Ceux-ci veulent forcer l'entrée. Toute une troupe parvient enfin à se ruer à l'intérieur. Alors les assiégés font tomber sur elle une lourde porte qui écrase et tue tous ceux qui se trouvent pris dessous.

Jamais le roi Clamadeu n'a souffert si grande douleur : la porte a massacré ses hommes et lui a barré passage! Il n'a plus qu'à cesser le combat. Faire autrement serait perdre sa peine. Vient alors le vieux conseiller :

– Sire, ce n'est pas merveille qu'il advienne malheur à un prudhomme. Nous avons la chance avec nous, selon qu'il plaît à Dieu. Vous avez perdu, je le vois, mais il n'est saint qui n'ait sa fête. L'orage nous a dévastés. Nos hommes ont beaucoup souffert. Les assiégés ont bien gagné, mais ils perdront. Leur tour viendra, j'en suis certain. Je gagerais bien mes deux yeux qu'ils ne tiendront plus de deux jours. Demeurez ici et demain tour et château seront à vous. Cette femme qui si longtemps a refusé votre demande viendra vous supplier la prendre, au nom de Dieu.

Clamadeu suit le bon conseil. Ceux qui avaient des tentes les font planter. Les autres s'arrangeront comme ils le pourront! Ceux de la ville forte désarment leurs captifs mais ils ne les emprisonnent pas ni ne les mettent aux fers, ayant seulement leur promesse qu'ils ne s'enfuiront pas ni ne reprendront les armes contre leurs vainqueurs.

Ce jour-là s'élève un grand vent sur la mer qui chasse vers la côte un vaisseau chargé de blé et d'autres vivres. Dieu voulut bien qu'il trouvât refuge juste au pied de la ville forte et sans dommage. Vite on accourut voir qui étaient ces gens-là, d'où ils venaient, où ils allaient.

Ils répondirent :

– Nous sommes des marchands qui amenons des provisions à vendre : nous avons pain, vin et bacon, bœufs et porcs bons à abattre.

– Dieu soit béni qui donna force au vent pour vous pousser jusqu'ici! Soyez les très bien venus. Débarquez tout! Tout est vendu, quel que soit le prix demandé. Vous prendrez ce qui vous sera dû.

Et vous aurez grand travail avec les lingots d'or et d'argent. On en chargera un grand char, et davantage s'il le faut!

Les marchands ont fait bonne affaire! Ils n'ont pas tardé à débarquer les marchandises puis à les porter au château. Vous devinez la joie qu'on mène! On fait apprêter le repas. Que Clamadeu muse dehors! Il peut maintenant mettre le siège devant les murs autant de jours qu'il lui plaira! Les assiégés ont ce qu'il faut : des bœufs, des porcs et viande salée à foison et du froment pour tout au long de la saison. Les valets allument de grands feux dans les cuisines et les cuisiniers sont aux fours.

Maintenant, assis l'un près de l'autre, le chevalier gallois et son amie peuvent s'amuser tout à l'aise et se serrer étroitement, et se baiser, heureux de la joie partagée. C'est tout un grand bruit dans la salle et partout règne l'allégresse. Ce repas fut tant désiré! Il est prêt : on a fait asseoir tous les gens.

Ce bruit avertit Clamadeu. Il sait les choses. Il est furieux comme ses gens qui voient bien qu'il faut s'en aller. On ne viendra plus à bout de ce château par la famine! Pourquoi donc y penser encore? Mieux vaut reconnaître que le siège n'a servi de rien.

Sans écouter aucun conseil, Clamadeu envoie un message au château, disant que si le Chevalier Vermeil ose accepter le combat, qu'il vienne dehors et attende! Clamadeu sera là en plaine et il attendra en ce lieu jusqu'à l'heure de midi.

Quand la jeune fille apprend nouvelle du défi, elle souffre, elle est courroucée. Elle l'est encore bien davantage quand elle apprend que Clamadeu aura la bataille puisqu'il la veut. Elle pleure mais il est vain de supplier. Tous et toutes le font pourtant, le conjurant de ne point se mesurer avec un homme que personne n'a jamais défait.

Il répond :

– Seigneurs, plus un mot! Cela vaut mieux croyez-m'en! Sachez que je ne reculerai pour rien au monde.

Et chacun se le tient pour dit. On se tait. On va se coucher pour une nuit de repos. Mais tous sont inquiets pour leur seigneur et s'attristent de n'avoir été écoutés.

Cette nuit-là, son amie, elle, lui parle encore :

– Pourquoi aller à cette bataille ? Mieux vaudrait demeurer en paix au château. Qu'est-il encore à craindre de Clamadeu et de ses gens ?

Mais elle n'obtient rien non plus. Et c'est merveille car elle parle en si grande douceur, embrassant son ami, à chaque parole, d'un baiser si affectueux et délicieux qu'elle lui met la clé d'amour en la serrure du cœur. Rien n'y fait. Il ira à la bataille.

Vient le matin. Vite il demande ses armes. On les lui apporte. On l'en revêt devant les gens qui se lamentent. Tous et toutes il les recommande au Roi des rois, saute sur un cheval norois et le voilà déjà parti.

Quand Clamadeu le voit venir, une telle folie le prend qu'il croit qu'en un clin d'œil il lui fera vider les arçons.

La lande était belle et plane, où ils ne sont que tous deux car Clamadeu a renvoyé ses gens.

Ils ne se crient point de défi mais, la lance en

arrêt, ils fondent l'un sur l'autre. Lances grosses et aisées, hampe de frêne et fer tranchant. Les chevaux courent grand galop. Les chevaliers sont pleins de vigueur. Tous deux se veulent mal de mort. Si rudement ils se heurtent que les écus se brisent et les lances se froissent. Les deux chevaliers tombent à terre. Mais, d'un bond, tous deux se relèvent, tirent l'épée et s'en reviennent dessus pour combattre. Longue est la lutte.

Je vous conterais bien les épisodes si je voulais m'en donner la peine, mais à quoi cela servirait-il? En un mot comme en cent Clamadeu doit demander merci. Comme l'a fait Anguingueron, il accepte les conditions de son vainqueur. Pas plus que son sénéchal il ne consent à être enfermé dans Beaurepaire. Non, pour tout l'empire de Rome, il n'irait chez le prudhomme du château! Mais très volontiers se rendrait à la cour du roi Arthur. Et là il verra la demoiselle qui fut giflée si rudement et lui confiera qu'à tout prix, de l'offense elle sera vengée, si Dieu le veut. Clamadeu, de plus, doit jurer que, dès au matin du lendemain, il délivrera ses prisonniers, tous sains et saufs. Il doit faire aussi le serment de repousser toute armée qui viendrait devant le château; encor que ni lui ni ses gens ne causeront plus nul ennui à la demoiselle.

Clamadeu revient donc dans sa terre, libère tous les prisonniers qui avaient mené triste vie dans les plus tristes cachots. Que d'allégresse dans la haute salle et tous les logements des chevaliers! Carillonnent en joie les cloches des moutiers et des chapelles. Il n'est ni moine ni nonnain qui ne rende grâce au Seigneur. Les chevaliers et les damoiselles nouent leurs caroles par toutes les rues et les places. C'est vraiment château de liesse !

Anguingueron va donc sa voie. Loin derrière lui Clamadeu qui couche chaque soir dans le même logement que son sénéchal. Enfin arrive à Disnadaron, en Galles où le roi Arthur tient cour plénière en son palais. Dès l'autre soir qu'il est venu, Anguingueron a conté au roi son message. Le roi l'a retenu à sa cour pour son service et son conseil. Comme les autres du château il voit venir ce matin-là un chevalier couvert du sang de sa bataille. Sitôt il reconnaît son seigneur. Il s'écrie :

– Seigneurs ! Seigneurs ! Quelle étonnante aventure ! Croyez-moi : c'est le Chevalier à l'Armure Vermeille qui envoie ce chevalier qui vient ici ! Il l'a vaincu, oui, je le sais, par le sang que je vois sur lui. Celui-ci, je le connais bien, car il est mon droit seigneur et moi je suis son vassal. Il a nom Clamadeu des Iles. Je croyais que nul chevalier ne le valait dans tout l'empire de Rome. Mais les meilleurs ne sont pas toujours les plus heureux !

Ainsi parle Anguingueron qui accourt près de son seigneur.

C'était alors la Pentecôte. La reine siégeait près du roi au bout d'honneur de la grande table. Ayant entendu la messe du moutier, dames et chevaliers étaient assemblés avec les comtes, les ducs, les rois, les reines et les comtesses.

Apparaît Keu, le sénéchal, sans nul manteau, tenant badine en sa main droite, coiffé d'un chapeau couleur blonde. Nul n'est plus beau de par le monde mais son goût du sarcasme fait tort à sa beauté et sa vaillance. Sa cotte est d'un riche drap d'écarlate. Il porte ceinture ouvragée avec boucle et anneaux en or. Je m'en souviens et l'histoire le dit.

On s'écarte dès son entrée car on connaît ses railleries et le fiel de sa langue. Nul ne souhaite se trouver sur son chemin. Personne donc n'adresse parole à Keu qui va jusqu'au roi et lui dit :

– Sire, nous pourrions manger, s'il vous plaît !

Mais le roi répond :

– Keu, laisse-moi ! Il est vrai que toute la cour est ici assemblée. Mais, par les yeux de ma tête, ce jour est si solennel que je ne mangerai pas avant d'avoir appris nouvelles qui en vaillent la peine !

Comme ils parlent ainsi, entre Clamadeu des Iles, qui vient se déclarer prisonnier. Il est armé comme il doit être.

– Que Dieu sauve, dit-il, et bénisse le meilleur des rois, le plus noble et le plus généreux ! Ses hauts faits sont partout connus. Tous en témoignent. Beau Sire, écoutez-moi, j'ai à vous donner un message. Il m'est pénible de le dire mais je dois dire en vérité que je suis envoyé ici par un chevalier qui m'a vaincu et a voulu que je me rende à vous pour me mettre en votre pouvoir. Si quelqu'un me demande son nom je ne pourrai le lui dire. Mais on le reconnaîtrait sans peine aux signes que je vais dire : il a des armes vermeilles et dit que c'est vous qui les lui avez données.

– Ami, que Dieu t'aide ! Dis-moi si ce chevalier-là est dispos, de belle amour et vigoureux ?

– Oui, soyez-en certain, beau sire, c'est le plus vaillant chevalier à qui j'aie jamais eu affaire. Il m'a recommandé de parler à la pucelle qui a ri (et reçut, pour sa honte, une gifle de votre sénéchal) pour lui dire qu'il la vengera bien, si Dieu le veut !

Entendant ces mots, le fou saute de joie, criant :

– Seigneur roi, que Dieu me bénisse! La gifle sera bien vengée! Ne croyez pas à une plaisanterie. Que le sénéchal fasse comme il voudra, il en aura le bras brisé et clavicule délogée!

Keu ne voit là que sottise et outrage. Il briserait sans faute la tête du fou s'il ne craignait d'offenser le roi qui hoche la tête et dit :

– Ah, Keu, j'ai grande peine que ce vaillant ne soit pas ici avec nous! C'est ta langue folle qui l'a chassé et je ne peux m'en consoler.

Le roi a donné un ordre. Gifflès se lève et monseigneur Yvain que nul n'accompagne sans en devenir meilleur. Tous deux conduisent Clamadeu dans les chambres où s'ébattent les suivantes de la reine. S'étant incliné devant le roi, Clamadeu s'en va en compagnie de ses deux guides qui le présentent à la pucelle outragée. Clamadeu lui donne le message qu'elle souhaitait. Elle souffrait encore de la gifle (non point du coup mais de la honte). Qui oublie l'injure a le cœur bas. Dans une âme vigoureuse le mal s'en va mais non la honte. C'est chez un couard que la honte froidit et meurt.

Maintenant Clamadeu a délivré son message. Le roi le retient, lui aussi, pour être de sa cour et de son conseil.

Pendant ce temps, le chevalier qui avait sauvé le château et la belle Blanchefleur, son amie, vit auprès d'elle bien à l'aise et dans les plaisirs. Toutes choses eussent été à lui sans dispute. Mais ses pensées sont loin de là. Le Gallois se souvient de sa mère qu'il revoit pâmée. C'est aller la revoir qu'il souhaite et rien d'autre. Il n'ose prendre congé de son amie qui, d'ailleurs, ne le lui accorde. Elle recommande à tous ses gens de le prier de demeurer. Mais ce sont là vaines prières sauf promesse qu'il leur fait : s'il retrouve sa mère en vie, il la ramènera ici et désormais tiendra la terre. Si sa mère est morte, il reviendra aussi.

Il s'en va, laissant son amie à son dépit et sa douleur. Tous sont très tristes.

Sortant tout juste de la ville, il rencontre telle procession qu'on se serait cru au jour d'Ascension sinon en un dimanche. On y voit des moines coiffés de leur chape de soie, toutes les nonnes sous leurs voiles. Tout ce monde-là lui répète :

– Sire, vous nous avez délivrés de l'exil et ramenés dans nos maisons. Ce n'est pas merveille que nous soyons en tel deuil au moment que vous nous quittez. Rien ne pourrait faire plus grande notre tristesse.

Il leur répond :

– Ne pleurez plus. Je reviendrai comme je le demande à Dieu qui m'aide. Point de raison d'être en tristesse. N'est-il pas bien que j'aille revoir ma mère qui demeure toute seule dans ce grand bois qu'on appelle la Gaste Forêt ! Que ma mère soit vivante encore ou non, je reviendrai, je vous l'assure ! Si elle est vivante, je la ferai nonne voilée en votre église. Si elle est morte, chaque année je ferai célébrer pour elle un service afin que Dieu veuille la prendre dans le sein d'Abraham avec toutes les âmes pieuses. Seigneurs moines et vous, dames, rien ne doit vous inquiéter. De grands biens je vous ferai pour le repos de l'âme de ma mère, si Dieu me ramène en ce lieu.

Alors s'en retournent moines et nonnains. Et il s'en va, la lance haute, armé comme il était venu.

Il tient chemin toute la journée, sans faire rencontre de nulle créature terrienne qui lui sache indiquer sa voie. Sans cesse il fait prière à Dieu, le Père Souverain, Lui demandant, s'Il le veut bien, de trouver sa mère en bonne vie et en santé.

Il priait toujours quand, descendant d'une colline, il parvient à une rivière. L'eau en est rapide et profonde. Il n'ose s'y aventurer.

– Seigneur, s'écrie-t-il, si je pouvais passer cette eau, je crois que je retrouverais ma mère si elle est encore en ce monde !

Il a longé la rive. Approche d'un rocher entouré d'eau qui lui interdit le passage. A ce moment, il voit une barque qui descend au fil du courant. Deux hommes y sont assis. Sans bouger il les attend, espérant les voir au plus près. Mais ils s'arrêtent au milieu de l'eau, ancrent leur barque fortement. L'homme à l'avant de la barque pêche à la ligne, piquant à l'hameçon le leurre d'un petit poisson pas plus gros que menu vairon.

Le chevalier qui les regarde, ne sait comment il peut passer cette rivière. Il salue les gens. Il leur dit :

– Seigneurs, me direz-vous où il est un pont ou un gué ?

Le pêcheur lui répond :

– Non, frère, vingt lieues en aval ou amont il n'est ni gué, ni pont, ni barque plus grande que celle-ci que ne porterait pas cinq hommes. On ne peut passer un cheval. Il n'est ni bac, ni pont, ni gué.

– Par le nom de Dieu, dites-moi où je trouverai un logis pour cette nuit.

– Vous en aurez besoin, c'est vrai. De logis comme d'autre chose. C'est moi qui vous hébergerai pour cette nuit. Montez par cette brèche que vous voyez là dans la roche. Quand vous serez dessus le haut, vous apercevrez un vallon et une maison où j'habite près de la rivière et des bois.

Pousse son cheval par la brèche jusqu'au sommet de la colline. Il regarde au loin devant lui mais ne voit rien que ciel et terre.

– Que suis-je ici venu chercher sinon niaiserie et sottise ? Que Dieu couvre de male honte qui m'a enseigné mon chemin ! Vraiment, je vois une maison à découvrir ici en haut ! Pêcheur, tu m'as dit un beau conte ! Tu as été trop déloyal si tu me l'as dit pour me suivre !

A peine a-t-il ainsi parlé qu'il aperçoit en un vallon la pointe d'une tour. De ce lieu-ci jusqu'à Beyrouth on n'eût point trouvé une tour si bien plantée ! Oui, c'était une tour carrée de pierre bise et deux tourelles. L'était en avant une salle et, devant la salle, des loges.

Le cavalier descend par là. « Celui qui m'enseigna la voie, il m'a bien conduit à bon port ! » Maintenant se loue du pêcheur et, comme il sait où héberger, ne le traite plus de tricheur ou de félon ou de menteur. Joyeux il s'en va devers la porte. Trouve baissé le pont-levis.

Tout juste est-il dessus le pont qu'il rencontre quatre valets. Deux valets ôtent son armure, un autre emmène son cheval, lui donner avoine et fourrage ; le dernier vient au cavalier et lui recouvre les épaules d'un manteau de fin écarlate neuf et brillant. Les valets le mènent aux loges. D'ici au moins jusqu'à Limoges on n'en eût trouvé de si belles. Le cavalier s'y attarde jusqu'au temps où viennent le quérir deux serviteurs. Il les suit. Au milieu d'une vaste salle carrée se trouve assis un prudhomme de belle mine, aux cheveux déjà presque blancs. Il est coiffé d'un chaperon de zibeline aussi noire que mûre. S'enroule autour du chaperon une étoffe de pourpre. De mêmes matières et couleurs est faite la robe du prudhomme. Penché, il s'appuie sur son coude. Au milieu de quatre colonnes, devant lui brûle un clair grand feu. Si grand que quatre cents hommes au moins auraient pu se chauffer autour sans que la place leur manquât. Les hautes et solides colonnes qui soutenaient la cheminée étaient œuvres d'airain massif. Accompagné des deux valets, devant ledit seigneur paraît l'hôte qui s'entend saluer :

— Ami, vous ne m'en voudrez point si pour vous faire honneur je ne puis me lever : mes mouvements sont malaisés.

L'hôte répond :

— Au nom de Dieu n'ayez souci ! Toutes choses sont bien ainsi.

Le prudhomme s'en soucie si fort qu'il fait effort pour se soulever de son lit. Il dit :

— Ami, ne craignez point ! Approchez-vous ! Asseyez-vous tout près de moi. Je vous l'ordonne.

L'hôte s'assoit. Et le prudhomme lui demande :

— Ami, d'où venez-vous aujourd'hui ?

— Sire, ce matin j'ai quitté un château nommé Beaurepaire.

77

– Dieu me garde! Vous avez eu longue journée! Ce matin vous étiez en route avant que le guetteur ait corné l'aube!

– Non sire. C'était déjà prime sonnée, je vous assure.

Pendant qu'ils parlent entre un valet, une épée pendue à son cou. Il l'offre au seigneur qui la sort un peu du fourreau et voit clair où l'épée fut faite car c'est écrit dessus l'épée. Il la voit d'un acier si dur qu'en aucun cas elle ne se brise sauf un seul. Et seul le savait qui l'avait forgée et trempée.

Le valet, qui l'avait portée, dit :

– Sire, la blonde pucelle, votre nièce la belle, vous fait présent de cette épée. Jamais n'avez tenu arme plus légère pour sa taille. La donnerez à qui vous plaira, mais ma dame en serait contente si cette épée était remise aux mains de qui serait habile au jeu des armes. Qui la forgea n'en fit que trois. Comme il mourra, n'en pourra jamais forger d'autre.

Sitôt le seigneur la remet au jeune hôte, la présentant par les attaches valeureuses telle un trésor. Car le pommeau était en or, de l'or le plus fin d'Arabie ou bien de Grèce, le fourreau d'orfroi de Venise. Si précieuse, il lui en fait don :

– Beau sire, cette épée fut faite pour vous. Et je veux qu'elle soit à vous. Ceignez-la et dégainez-la.

Ainsi fait le jeune homme en remerciant. Et, la ceignant, laisse un peu libre le baudrier. Tire l'épée hors du fourreau et, quand il l'a un peu tenue, il la remet. Elle lui convient à merveille, au baudrier comme au poing. Et il paraît bien être l'homme à en jouer en vrai baron.

Il confie l'épée au valet gardant ses armes, qui se tient debout près des autres autour du grand feu vif et clair. Puis volontiers vient se rasseoir auprès du généreux seigneur. Telle clarté font dans la salle les flambeaux qu'on ne pourrait trouver au monde un hôtel plus illuminé!

Comme ils parlaient de choses et d'autres, un valet d'une chambre vint, qui lance brillante tenait, empoignée par le milieu. Il passa à côté du feu et de ceux qui étaient assis. Coulait une goutte de sang de la pointe du fer de lance et jusqu'à la main du valet coulait cette goutte vermeille. Le jeune hôte voit la merveille et se roidit pour n'en point demander le sens. C'est qu'il se souvient des paroles de son maître en chevalerie. Ne lui a-t-il pas enseigné que jamais ne faut trop parler? Poser question c'est vilenie. Il ne dit mot.

Deux valets s'en viennent alors, tenant en main des chandeliers d'or fin œuvré en nielle. Très beaux hommes étaient ces valets qui portaient les chandeliers. En chaque chandelier brûlaient dix chandelles à tout le moins. Une demoiselle très belle, et élancée et bien parée qui avec les valets venait, tenait un Graal entre ses mains. Quand en la salle elle fut entrée avec le Graal qu'elle tenait, une si grande lumière en vint que les chandelles en perdirent leur clarté comme les étoiles quand se lève soleil ou lune. Derrière elle une autre pucelle qui apportait un plat d'argent. Le Graal qui allait devant était fait de l'or le plus pur. Des pierres y étaient serties, pierres de maintes espèces, des plus riches et des plus précieuses qui soient en la mer ou sur terre. Nulle autre ne pourrait se comparer aux pierres ser-

tissant le Graal. Ainsi qu'avait passé la lance, devant lui les pierres passèrent. D'une chambre en une autre allèrent. Le jeune homme les vit passer, mais à nul n'osa demander à qui l'on présentait ce Graal dans l'autre chambre, car toujours il avait au cœur les paroles de l'homme sage, son maître en chevalerie.

Je crains que les choses ne se gâtent car il m'est arrivé d'entendre que trop se taire ne vaut parfois guère mieux que trop parler. Donc, qu'il en sorte heur ou malheur, l'hôte ne pose nulle question.

Le seigneur commande alors d'apporter l'eau, mettre les nappes. Et font ainsi les serviteurs. Lors le seigneur comme son hôte lave ses mains, dans une eau chauffée tout à point. Deux valets apportent une large tour d'ivoire faite d'une pièce, la tiennent devant le seigneur et son hôte. D'autres valets mettent en place deux tréteaux doublement précieux : de par leur bois d'ébène ils dureront un très long temps; nul danger qu'ils brûlent ou pourrissent. Rien de tel ne saurait leur advenir. Sur ces tréteaux les valets ont posé la table; sur la table étendu la nappe. Que dirai-je de cette nappe? Jamais légat ni cardinal ni pape ne mangera sur nappe plus blanche! Le premier plat est une hanche de cerf, bien poivrée et cuite dans sa graisse. Boivent vin clair et vin râpé servi dedans des coupes d'or. C'est sur un tailloir en argent que le valet tranche la hanche et en dispose chaque pièce sur un large gâteau.

Alors, devant les deux convives une autre fois passe le Graal, mais le jeune homme ne demande à qui l'on en sert. Toujours se souvient du prudhomme l'engageant à ne trop parler. Mais il se tait plus qu'il ne faudrait.

A chaque mets que l'on servait, il voit repasser le Graal par-devant lui tout découvert. Mais ne sait à qui l'on en sert. Point n'a désir de le savoir. Il sera temps de demander à l'un des valets de la cour le lendemain dès le matin quand il quittera le seigneur et tous ses gens.

On lui sert à profusion viandes et vins les plus choisis, les plus plaisants qui sont d'ordinaire sur la table des rois, des comtes, des empereurs.

Quand le repas fut terminé, le prudhomme retint son hôte à veiller pendant que les valets apprêtaient les lits et les fruits. On leur offrit dattes, figues et noix-muscades, grenades, girofles, électuaire pour terminer et encore pâte au gingembre d'Alexandrie et gelée d'aromates.

Ils burent ensuite de plusieurs breuvages : vin au piment sans miel ni poivre, bon vin de mûre et clair sirop.

Le Gallois s'émerveille de tant de bonnes choses qu'il n'avait jamais goûtées.

Enfin le prudhomme lui dit :

– Ami, c'est l'heure du coucher. Si vous me permettez je vais retrouver mon lit dedans ma chambre. Hélas, je n'ai nul pouvoir sur mon corps ! Il faut que l'on m'emporte.

Entrent alors quatre serviteurs très robustes qui saisissent la courtepointe où le seigneur demeure couché et l'emportent dedans sa chambre.

Le jeune homme reste là, seul avec valets pour le servir et prendre bien soin de lui. Puis quand le sommeil le gagne, ils le déchaussent, le dévêtent et le couchent dans un lit garni de draps de lin très fins. Jusqu'au matin il y dormit.

Dès le point du jour s'éveilla. Toute la maison était déjà levée mais personne ne se trouvait auprès de lui. Il lui faudra donc s'habiller seul, qu'il le veuille ou non. N'attend une aide de quiconque, se lève et se chausse, va prendre ses armes posées là sur la table proche. Dès qu'il est prêt, il va de porte en porte qui étaient ouvertes la veille. Mais c'est en vain : portes fermées et bien fermées! Il appelle, il frappe très fort et encore plus, mais personne ne lui répond.

Il en est là, va à la porte de la salle. Elle est ouverte. Il en descend tous les degrés jusqu'en bas. Il trouve son cheval sellé, sa lance auprès de là et son écu contre le mur. Il monte et va partout cherchant mais il ne rencontre personne : sergent, écuyer ni valet. Le pont-levis est abaissé vers la campagne. Nul n'a donc voulu le retenir, quelle que soit l'heure, quand il voudrait quitter ce lieu! Mais il pense bien autrement : ce sont les valets, se dit-il, qui sont partis sur le chemin de la forêt relever des pièges et des cordes. Va donc aller de ce côté pour en trouver quelqu'un, peut-être, qui dise où l'on porte ce Graal et pourquoi cette lance saigne. Passe le pont pensant ainsi, mais quand il est dessus la planche il sent bien que les pattes de son cheval bondissent d'un coup. Par bonheur elles sautent à merveille, sinon cheval et cavalier auraient pu s'en tirer très mal! Il tourne la tête en arrière et voit qu'on a levé le pont sans que nul se soit montré. Il appelle, mais point de réponse.

Il crie :

— Dis-moi, toi qui as levé le pont : Réponds-moi ! Où te caches-tu ? Montre-toi, car j'ai quelque chose à te dire !

Vaines paroles ! Nul ne lui répondra.

Il s'en va donc par la forêt, trouve dans un sentier des marques toutes neuves de chevaux passés par là. Et il s'écrie :

— Je vois qu'ils sont partis de ce côté, ceux que je cherche !

S'enfonce dans le bois, continuant de suivre les traces. Celles-ci le mènent jusqu'à un chêne sous lequel il trouve une pucelle qui pleure et crie, se désolant :

— Hélas, que je suis malheureuse ! Maudites l'heure de ma naissance et celle où je fus engendrée ! Plût à Dieu que jamais n'aie eu à tenir mon ami mort sur mes genoux ! Pourquoi sa mort et non la mienne ? Mort me frappe bien cruellement ! Pourquoi a-t-elle pris son âme et non mon âme ? Que me vaut de rester ici quand je te vois mort, toi que j'aimais le plus au monde ? Sans lui que valent ma vie, mon corps ? Qu'elle parte donc aussi, mon âme, et qu'elle soit faite chambrière et compagne de son âme, si elle le veut !

Ainsi la pucelle est-elle en grand-douleur du chevalier qu'elle tient couché sur elle, tête tranchée.

Le cavalier vient auprès d'elle, la saluant. Elle lui rend son salut mais sans interrompre son deuil.

— Demoiselle, qui a occis le chevalier gisant sur vous ?

— Seigneur, un chevalier le tua, dit la pucelle, ce matin.

– Moi, je viens du plus beau logis où j'aie jamais été encore.

– Ah, seigneur, vous avez donc couché dans le château du riche Roi Pêcheur?

– Demoiselle, par le Sauveur, ne sais s'il est roi ou pêcheur, mais il est très sage et courtois. Vous en dire plus je ne sais, sinon que deux hommes trouvai, hier soir, assis dans une barque qui naviguait très lentement. L'un des deux hommes ramait tandis que l'autre homme pêchait à l'hameçon. Celui-ci m'indiqua sa maison et pour la nuit il m'hébergea.

– Beau sire, il est roi sachez-le, mais en bataille fut blessé et mehaigné si tristement qu'il perdit l'usage des jambes. On dit que c'est un coup de javelot porté aux hanches qui lui a fait cette blessure. Et il n'a cessé d'en souffrir. Il souffre encore et ne peut monter à cheval. Alors, quand il veut se distraire, se fait porter en une barque. Et il se laisse aller sur l'eau, pêchant à l'hameçon, dont il est dit le Roi Pêcheur. Ne peut avoir d'autre exercice. Chasser aux champs ou sur les rives, il ne saurait. Mais a toujours auprès de lui ses fauconniers et ses archers et ses veneurs qui tirent à l'arc en forêt. Il se plaît bien dessus ses terres. Nul autre lieu ne siérait mieux. Aussi y a-t-il fait construire un château digne d'un puissant roi.

– Demoiselle, par ma foi vous dites vrai! J'en ai eu hier soir grand-merveille quand on me mena devant lui; quand il me dit de m'approcher et de m'asseoir auprès de lui. Et me pria de ne voir signe d'orgueil pour le fait qu'il ne se levait pour me saluer, ne le pouvant. J'allai donc m'asseoir sur son lit, comme il voulait.

– Certes un grand honneur il vous fit quand près de lui il vous assit. Or dites-moi : avez-vous vu la lance dont la pointe saigne, n'ayant pourtant ni sang ni veine?

– Si je la vis? Oui, par ma foi!

– Et demandâtes-vous pourquoi elle saigne?

– Jamais n'en parlai!

– Dieu m'aide! Mais sachez donc que vous avez bien mal agi. Et vîtes-vous le Graal?

– Je l'ai bien vu.

– Qui le tenait?

– Une pucelle.

– D'où venait-elle?

– D'une chambre. En une autre chambre elle alla.

– Nul ne marchait devant le Graal?

– Si!

– Qui donc?

– Deux valets sans plus.

– Et que tenaient-ils en leurs mains?

– Chandeliers garnis de chandelles.

– Et derrière le Graal, qui vint?

– Autre pucelle.

– Que tenait-elle?

– Un petit plat d'argent.

– Demandâtes-vous à ces gens vers quel lieu ils allaient ainsi?

– Nul mot ne sortit de ma bouche.

– Dieu m'aide! C'cst pis encore! Comment avez-vous nom, ami?

Et lui, qui son nom ne savait, soudain le connut et lui dit que c'est PERCEVAL LE GALLOIS. Mais ne sait s'il dit vrai ou non. Il dit vrai, pourtant ne savait.

86

Quand la demoiselle l'entend, d'un coup se dresse devant lui, en disant toute courroucée :

– Alors votre nom est changé, ami !

– Comment ?

– En « Perceval le Chétif ». Ah, malheureux Perceval, tu as connu male aventure de n'avoir jamais demandé cela qui eût fait tant de bien à ce bon roi qui est blessé ! Bien vite il aurait retrouvé usage des membres et sa terre. Si grand bien en fut advenu ! Mais sache que malheur en viendra, à toi et à autrui pour ce péché, sache-le bien ! Fut ainsi déjà pour ta mère, car elle est morte de douleur pour toi. Je te connais mieux que tu te connais, car toi, tu ne sais qui je suis. Pourtant en la maison de ta mère longtemps je fus élevée avec toi. Je suis ta cousine germaine et tu es mon cousin germain. Mais il ne me pèse pas moins, ce malheur qui t'est advenu, de n'avoir pas du Graal su ce qu'on en fait, à qui on le porte ; que d'avoir vu ta mère qui est morte et mort aussi ce chevalier que j'aimais si vivement et qui m'aimait en me disant sa chère amie.

– Ah cousine, si de ma mère m'avez dit vrai comment le savez-vous ?

– Comment non ? je l'ai vue mettre en terre.

– Que Dieu miséricordieux ait pitié de son âme ! Vous m'avez conté là très douloureuse histoire. Mais, cousine, puisqu'elle est morte, qu'irais-je quérir plus avant ? Je n'y allais que pour la voir. Je prendrai donc une autre route. Si avec moi vouliez venir, moi aussi je le voudrais bien. Jamais plus ne sera votre homme celui qui gît auprès de vous. Que les morts soient avec les morts, les vivants avec les vivants! Allons-nous-en, vous comme moi! Oui ce serait folie, je crois, de veiller seule auprès du mort. Poursuivons celui qui l'a tué! Je vous le jure sur ma foi : pourvu que je puisse l'atteindre, ou je serai à sa merci ou je lui ferai crier grâce!

– Beau doux ami, lui répond celle qui ne peut refréner la douleur en son cœur, avec vous je ne puis partir avant de l'avoir enterré. Suivez ce chemin empierré que vous voyez de ce lieu-ci. C'est par là que s'en est allé le cruel, félon chevalier qui m'a occis mon doux ami. Non pas que je veuille vous envoyer derrière lui, mais je lui souhaite autant de mal que s'il m'eût tuée de sa main! Où cette épée fut-elle prise, qui pend dessus votre flanc gauche, qui jamais ne prit nul sang d'homme, ne fut tirée pour nul besoin? Je sais bien où elle fut faite et je sais bien qui la forgea. Mais gardez-vous de vous y fier car elle vous volera en pièces!

– Belle cousine, une des nièces de mon hôte la lui envoya hier soir. Il me la donna. Je m'en croyais bien honoré, mais m'avez causé grand effroi si est vrai ce que m'avez dit. Dites-moi, s'il advenait qu'elle fût brisée, serait-elle jamais reforgée? le savez-vous?

– Oui, mais grande peine il y faudrait. Celui qui saurait le chemin du lac auprès de Cotovatre pourrait la faire rebattre et retremper et réparer. Si l'aventure vous y mène, n'allez chez nul autre que chez Trébuchet, forgeron, car c'est celui-là qui l'a faite et lui seul saura la refaire. Sinon personne ne saura quel que soit l'homme qui y travaille.

– Certes, dit Perceval, si elle se rompt j'en serai bien fâché!

Il quitte donc la demoiselle qui ne veut délaisser le corps de son ami et là demeure seule, plongée dans son chagrin.

Dans le sentier bien clair où chevauche Perceval, s'en va un palefroi tout maigre et fatigué, marchant au pas, juste un peu devant lui. A voir bête si malingre, Perceval pense qu'elle est tombée en mauvaises mains. La bête ressemblait à ces chevaux prêtés, en grand travail le jour et sans soins à la nuit. C'était là bien pauvre palefroi, maigre, tremblant de froid, tout morfondu. Ses crins étaient tondus; ses oreilles molles retombaient. Il n'avait que cuir sur le dos. Les mâtins attendaient le temps de la curée auprès de lui. La housse, les courroies de selle ne valaient mieux que l'animal.

Sur lui allait une pucelle la plus misérable du monde. On aurait pu la voir très belle mais sa vêture était si pauvre, sa robe n'avait de bonne étoffe pas plus large qu'une paume. Le reste était mal recousu à grosses coutures, et partout rattaché de nœuds laissant pourtant passer les seins. Sa chair était blessée comme de coups de lancette brûlée, crevassée par la neige, par la grêle et par la gelée. Sans voile, les cheveux mêlés, elle offrait aux yeux un visage ravagé par les tristes traces des larmes. Certes le cœur pouvait souffrir quand le corps montrait tel malheur!

Dès que Perceval l'aperçoit, en hâte vers elle il accourt. Mais le voyant venir elle se couvre de ses loques. Si elle en cache un trou, sitôt en découvre cent autres! Perceval rejoint la pucelle si pâle et si défaite, pour l'entendre plaindre ainsi son malheur:

– Ah, Dieu, qu'il Te plaise de me laisser en cet état! Il y a trop longtemps que je traîne si triste vie que je n'ai point méritée! Dieu, je T'en prie, envoie auprès de moi quelqu'un qui me jette hors de cette peine ou me délivre de celui qui me fait vivre si grand-honte! Nulle pitié n'y a en lui! Même il refuse de me tuer quand je ne peux lui échapper vive! Pourquoi voudrait-il compagnie d'une misérable sinon par plaisir de ma misère et de ma honte? Si je l'avais trompé vraiment et s'il le savait sans nul doute, il devrait bien me pardonner tant il me l'a fait payer cher. Mais comment pourrait-il m'aimer, me faisant traîner âpre vie sans jamais s'en émouvoir!

– Belle, que Dieu vous sauve! dit Perceval.

Elle baisse la tête et dit tout bas :

– Seigneur qui m'as saluée, que ton cœur ait ce qu'il désire! Mais te le souhaiter n'est pas juste.

Il s'étonne, honteux. Il répond :

– Comment, demoiselle? Je ne crois pas vous avoir jamais vue ni méfait?

– Si, répond-elle. J'ai tant de souffrance et misère que nul ne me doit saluer. Qu'on me regarde ou qu'on m'arrête, la plus grande angoisse me prend.

– Si je vous ai fait peine, dit Perceval, vraiment c'était sans le savoir! Je ne veux pas vous tourmenter. Mon chemin m'a conduit vers vous et sitôt que je vous ai vue, si désolée, si pauvre et nue, de joie je n'en aurais connue désormais, si je n'eusse appris de vous-même quelle aventure vous a mise en telle peine et telle douleur!

– Ah, Sire, ayez pitié! Taisez-vous! Allez votre

chemin et laissez-moi. Le péché vous retient ici. Fuyez, fuyez, vous ferez bien !

– Pourquoi fuir ? De par quelle peur ? D'où viendrait-elle ? Qui me menace ?

– Je vous dis qu'il est temps encore. Fuyez ! Il va sans tarder revenir, l'Orgueilleux de la Lande. Il ne cherche que coups et combats. Si en ce lieu-ci il vous voit, sur l'heure il vous occira. Que l'on m'arrête ou l'on me parle, il en éprouve tel dégoût que nul ne peut sauver sa tête, pris sur le fait. Il vous dirait qu'il y a peu qu'un homme encore fut tué ainsi. Mais il ne veut tuer son homme sans lui conter premièrement pourquoi il me punit de honteux et vil traitement.

Tous deux parlaient encore quand dans la poussière et le sable l'Orgueilleux de la Lande, sortant du bois bondit sur eux en menaçant :

– Malheur sur toi qui t'arrêtas, près de la pucelle ! Que tu l'aies retenue – serait-ce la longueur d'un pas – cela suffit pour que tu meures ! Mais sache que je ne te tuerai qu'après t'avoir conté pour quelle cause à cette fille j'ai imposé si vile honte : Un jour j'étais allé au bois, laissant, dedans un pavillon, cette fille-là que j'aimais plus que toutes choses au monde. Sortant du bois, par aventure, s'en vint là un valet gallois (par quel chemin s'en venait-il ? je ne le sais) mais ce que je sais sûrement, c'est que ce valet-là lui prit, oui, de vive force un baiser. C'est elle qui le l'a avoué. Peut-être qu'elle me mentit. Ne dis pas non. L'autre poussa son avantage : qui donc l'en aurait empêché ? Peut-être fut-ce d'abord par force qu'il lui déroba ce baiser ? Vint après le consentement. Mais qui donc

pourrait jurer qu'après ce baiser il n'y eut rien d'autre chose? Qui le croirait? L'un vient de l'autre. Qui femme embrasse et point ne pousse l'avantage, c'est que l'homme ne le veut point. Mais femme qui donne sa bouche, sans peine accorde le surplus, si l'homme le veut tout de bon! Même si femme se défend, on sait qu'elle peut l'emporter en tous moments sinon en cette joute où elle prend l'homme à la gorge et le griffe, le mord, le rue en souhaitant de succomber. Elle veut qu'on la prenne de force, ainsi nul gré elle n'aura. J'ai raison de croire qu'il l'a prise. Et de plus lui a dérobé l'anneau qu'elle portait au doigt. J'en suis fâché. J'ajoute qu'après cela il a osé boire d'un vin fort et a dégusté deux pâtés que l'on avait gardé pour moi. Mon amie en a son loyer, un beau loyer comme on peut voir! Qui commet folie en pâtisse! Jamais plus ne la commettra. Quand je connus la vérité chacun a pu voir ma colère en sachant que je n'avais tort. Je lui ai dit que son palefroi ne serait ferré ni saigné; qu'elle ne porterait jamais plus nouveau manteau, cotte nouvelle, tant que je n'aurais pas occis celui-là qui l'avait forcée, puis lui aurait tranché la tête.

Perceval écoute. Il répond :

– Ami, tenez pour assuré qu'elle a accompli pénitence. C'est moi qui ai pris le baiser. Ce fut de force. C'est moi qui dérobai l'anneau. Mais jamais ne fis autre chose, sauf que je mangeai un pâté et bus du vin tout à mon saoul (mais ceci ne fut pas si sot).

L'Orgueilleux de la Lande dit :

– Par mon chef, c'est vraiment merveille de t'entendre confessant la chose ! De toi-même donc tu avoues avoir mérité la mort.

Mais Perceval sitôt répond :

– La mort n'est pas si près de moi que tu le penses.

Sans dire autre mot ils foncent l'un sur l'autre. Et si furieusement se heurtent que leur lances volent en éclats et que tous deux vident leur selle. Tombés, sitôt ils se relèvent et se battent à coups d'épées. Dure bataille et sans faillir. Pourquoi voudrais-je la décrire ?

Enfin l'Orgueilleux de la Lande a le dessous et crie merci. Le jeune chevalier n'oublie ce que commanda le prudhomme : jamais n'occire homme à merci. Alors il dit :

– Chevalier, par ma foi ne te ferai grâce avant que devant moi ici, tu fasses grâce à ton amie. Elle n'a mérité, je te jure, d'être traitée comme tu fais.

L'Orgueilleux aimait la pucelle plus que prunelle de ses yeux. Et il répond :

– Beau sire, vous me trouvez tout prêt à réparer. Ce sera comme vous le voudrez. Ordonnez et j'obéirai ! J'ai le cœur sombre et douloureux de l'avoir ainsi tourmentée.

Le vainqueur dit :

– Tu iras donc au plus proche de tes manoirs. Tu lui feras prendre le bain et reposer jusqu'au moment où elle sera revenue en santé. Quand elle sera parée, vêtue de belles robes, tu la mèneras au roi Arthur. S'il te demande qui t'envoie tu répondras : « C'est le garçon que vous fîtes Chevalier Vermeil. » Au roi Arthur tu conteras la pénitence que tu voulus pour ton amie et la misère où elle vécut. Tu conteras à haute voix devant la cour, que tous et toutes puissent entendre, la reine comme ses suivantes. Parmi elles, qui sont très belles, plus belle encore il en est une, que je prise plus que toute autre. Rien que me voir quand j'y allai elle avait ri de grand plaisir. Keu le sénéchal la gifla si rudement que la pauvre en perdit le sens. Tu la feras chercher, je veux, et tu lui diras que rien ne pourra m'appeler à la cour du roi Arthur tant que je ne l'aurai vengée!

L'Orgueilleux de la Lande promet, se met en route comme il fut dit et prêt à remplir sa mission quand la demoiselle serait guérie, toute prête pour le voyage. A l'Orgueilleux ne déplaisait d'emmener aussi son vainqueur qu'il ait long temps et repos pour panser ses plaies.

– Il ne peut en être ainsi, dit Perceval. Va et que Dieu te donne la bonne aventure! Ailleurs je trouverai un logis.

Il se quittent. Le même soir, l'Orgueilleux fait prendre le bain à son amie. Les jours suivants il la fait vêtir richement. Si soigneusement il la veille qu'en sa beauté elle revient. Et tous vont à Carlion où le roi tenait sa cour très privément, trois mille chevaliers seulement se retrouvant en l'assemblée (mais tous choisis). C'est donc devant toute la cour que vient l'Orgueilleux de la Lande se remettre docilement entre les mains du roi Arthur.

– Sire, je suis votre prisonnier. De moi ferez ce que vous voudrez. C'est bien raison puisque cet ordre me donna mon vainqueur qui vous demanda et obtint armure vermeille.

Le roi Arthur sitôt comprend.

– Beau sire, désarmez-vous donc! Que Dieu donne joie et qu'Il donne bonne aventure à qui me fait présent de vous. Et vous aussi soyez le bienvenu! A cause de votre vainqueur, serez aimé et estimé en mon logis.

– Sire, autre chose il m'a demandé : avant que je me désarme je vous prierai mander la reine et ses filles d'honneur pour écouter mien message.

Bientôt donc vient la reine. Derrière elle, toutes ses suivantes se donnant la main deux à deux. Quand la reine se fut assise auprès du roi, l'Orgueilleux de la Lande dit :

– Dame je vous salue de par un chevalier que j'estime et qui aux armes m'a vaincu. Il vous envoie cette pucelle, mon amie, que vous voyez.

La reine lui répond :

– Ami, qu'il en soit mille fois remercié !

Alors, comme il lui avait été dit, l'Orgueilleux de la Lande conte la vilenie et la misère où il fit vivre son amie. Il n'oublie rien, et dit pourquoi il fit ainsi. Il demande qu'on désigne celle que frappa le sénéchal. On la lui montre et l'Orgueilleux dit, se tournant vers elle :

– Celui qui m'envoya ici me commanda de vous saluer et de vous répéter tout net le serment que j'ai entendu : « Dieu l'aide comme il lui demande, jamais ne viendra en cette cour avant qu'il ne vous ait vengée du soufflet que pour lui vous avez reçu. »

Quand le Fou entend ces paroles, de joie il bondit, s'écriant :

– Ah, Seigneur Keu, c'est pour le coup que vous aller payer la dette! Et sans attendre!

Puis le fou vient parler au roi qui dit ensuite :

– Ah, sire Keu, comme tu fus de pauvre courtoisie quand tu te moquas du jeune homme ! Par tes railleries je l'ai perdu. Le reverrai-je ?

Le roi prie son prisonnier de s'asseoir. Il commande qu'on le désarme. De la prison il lui fait grâce. Messire Gauvain s'est assis à la droite du roi et il lui dit :

– Au nom de Dieu, sire, qui donc est ce jeune champion qui a vaincu en dur combat un chevalier aussi vaillant ? Dans toutes les îles de la mer non, je n'ai ni vu ni connu ni entendu nommer nul chevalier qui en prouesse et chevalerie vaille l'Orgueilleux de la Lande !

– Beau neveu, je ne le connais, mais je l'ai vu. Quand je le vis ce fut sans oser lui poser aucune question. Il me demanda de le faire chevalier sur l'heure. Il était beau, de bonne mine. Je lui répondis : « Volontiers. Descendez de votre monture. Oui, sans tarder qu'on vous apporte une armure toute dorée. » De cette armure il ne voulut. Il dit qu'il n'en accepterait qu'une : celle que portait ce chevalier félon qui déroba ma coupe. C'était une armure vermeille. Keu, qui était méchant l'est encore, le sera toujours, et n'ouvre la bouche que pour dire mauvaises paroles lui cria : « Frère, cette armure le roi vous donne. Elle est à vous. Allez la prendre ! » L'autre qui n'y voyait point de mal se lance, occit le chevalier à la coupe, le perçant d'un trait de javelot. Qui commença cette querelle, je ne le sais, ni la mêlée qui suivit. Mais comment douter qu'il fut présomptueux, ce Chevalier Vermeil de la forêt de Quinqueroi, et que ce fut lui qui frappa le

98

premier? Alors l'autre, de son javelot lui creva l'œil, le laissant mort dessus le sol. Puis de cette armure vermeille sitôt s'empara le vainqueur. Par la suite si bien s'en servit, tant à mon gré que, par monseigneur saint David que l'on honore et prie en Galles, je jure que jamais ne reposerai ni une nuit ni l'autre nuit dans une chambre tant que je ne l'aurai pas revu, savoir s'il est encore vivant sur terre comme dessus la mer. Et plus n'attendrai pour partir à sa recherche.

Sitôt que le roi l'eut juré, tous connurent qu'il faudrait bien sans tarder se mettre en route.

Il fallait voir emplir les malles de couvertures et d'oreillers, combler les coffres et bâter les chevaux de somme; parer tentes et pavillons et charger tout un long convoi de chars et de charrettes. Quel clerc alerte, habile aux lettres aurait donc pu, en un seul jour, établir la très longue liste des provisions et des bagages qu'on rassembla en grande hâte?

Le roi Arthur part de Carlion comme s'il partait pour l'armée. Le suivent ses barons. Aussi la pucelle que la reine prend auprès d'elle pour faire honneur à la chevalerie assemblée.

Le soir venu, on dresse le camp dans une prairie en lisière d'un bois, mais au matin du lendemain la neige avait recouvert le sol glacé.

Avant d'arriver près des tentes, Perceval vit un vol d'oies sauvages que la neige avait éblouies. Il les a vues et bien ouïes, car elles s'éloignaient fuyant pour un faucon volant, bruissant derrière elles à toute volée. Le faucon en a trouvé une, abandonnée de cette troupe. Il l'a frappée, il l'a heurtée si fort qu'elle s'en est abattue. Perceval arrive trop tard sans pouvoir s'en saisir encore. Sans tarder, il pique des deux vers l'endroit où il vit le vol. Cette oie était blessée au col d'où coulaient trois gouttes de sang répandues parmi tout le blanc. Mais l'oiseau n'a peine ou douleur qui la tienne gisante à terre. Avant qu'il soit arrivé là, l'oiseau s'est déjà envolé! Et Perceval voit à ses pieds la neige où elle s'est posée et le sang encore apparent. Et il s'appuie dessus sa lance afin de contempler l'aspect, du sang et de la neige ensemble. Cette fraîche couleur lui semble celle qui est sur le visage de son amie. Il oublie tout tant il y pense car c'est bien ainsi qu'il voyait sur le visage de sa mie, le vermeil posé sur le blanc comme les trois gouttes de sang qui sur la neige paraissaient.

Avant que le roi ne s'éveille, devant le pavillon royal les écuyers rencontrèrent Sagremor qui pour ses colères subites était aussi appelé Sagremor le Déréglé.

Il crie aux écuyers.

– Eh, vous! Dites-moi! Pourquoi venir si tôt ici?

– C'est que, répondent-ils, là-bas loin de nos lignes nous avons vu un chevalier qui dort debout sur sa monture.

– Porte-t-il des armes?

– Il en porte.

– Je vais lui parler. A la cour le ramènerai.

Vite Sagremor se rend dans le pavillon du roi. Il l'éveille et lui dit :

– Sire, là-dehors sur la lande il y a un chevalier sommeillant droit sur son cheval.

100

Le roi commande à Sagremor d'amener le chevalier, sans faute. Et Sagremor fait au plus tôt. On lui présente son cheval et puis ses armes. Et bientôt le voici armé pour rejoindre le chevalier.

Il s'approche de lui. Il dit :

– Sire, il vous faut venir à la cour !

Mais l'autre ne bouge en rien, ne paraît avoir entendu. A même question, même silence. Alors Sagremor est colère.

– Par saint Pierre l'apôtre ! Je vous dis que vous y viendrez en cette cour, par gré ou force. Pourquoi vous en avoir prié ? Je n'y ai que perdu mon temps comme j'ai perdu mes paroles.

Alors il déploie son enseigne ; il court au loin et de là lance son cheval tout en criant à Perceval.

– Garde-toi ! Je vais t'attaquer !

Perceval regarde enfin de ce côté et voit Sagremor qui galope. Le voici hors de ses pensées et déjà lancé contre l'autre. Le choc est rude. Et la lance de Sagremor se rompt. Non point celle de Perceval, qui ne se brise ni ne plie. Mais si fort heurte Sagremor qu'il l'abat au milieu du champ. Le cheval du vaincu s'enfuit, tête haute, vers le lieu où sont les tentes. Et soudain vient déboucher devant les gens qui se levaient. Beaucoup furent peu contents. Ce ne fut pas le cas de Keu, qui jamais n'a pu retenir sur ses lèvres méchantes paroles. Keu se moque disant au roi :

– Beau Sire, vraiment s'en revient Sagremor en fière mine ! Voyez comme il vient le chevalier de par le frein et l'amène ici devant vous qu'il veuille ou non.

Le Roi lui répond :

– Sénéchal, il n'est pas bon de moquer ainsi le courage ! Allez-y donc et nous verrons bien si vous ferez mieux que l'autre !

– Sire, dit Keu, j'ai grande joie à y aller, puisqu'il vous plaît m'en requérir ! Croyez-moi, je l'amènerai de vive force, qu'il le veuille ou ne veuille pas ! Et il faudra bien que ce chevalier nous avoue quel nom il a.

Il se fait armer et il monte. Puis il part vers le chevalier, si perdu dans ses pensées devant les trois gouttes de sang qu'il ne connaît plus rien au monde.

Arrivant, de loin, Keu lui crie :

– Vassal, vassal, venez au roi ! Je vous jure que vous viendrez. Sinon vous me le paierez !

Perceval l'entend menacer. Vers lui se tourne et pique des deux sa monture. Les chevaliers l'un et l'autre veulent l'emporter. A plein choc se heurtent, de droit-fil.

Keu frappe à très grands coups, si fort qu'il en brise sa lance, qui vole comme écorce en miettes. Mais Perceval lui répond bien, frappe Keu d'un grand coup sur le haut de son bouclier et rudement l'abat dessus un roc tant qu'il lui déboîte la clavicule et, entre le coude et l'aisselle, il lui brise l'os du bras droit tout comme un éclat de bois sec. Lors Keu se pâme de douleur. Son cheval seul court vers les tentes.

Les Bretons le voient qui revient seul ainsi. Alors des gens sautent en selle et courent grand trot devant chevaliers et dames. On trouve Keu gisant pâmé. On le croit mort et tous le pleurent.

Mais Perceval ne quittant des yeux les trois

gouttes encore s'appuie sur sa lance. Triste est le roi de voir ainsi blessé son sénéchal, mais tous les gens autour le réconfortent lui assurant que Keu guérira bien. Alors le roi, qui aime son sénéchal, lui envoie un médecin très avisé; comme aussi trois pucelles, instruites par ses soins qui raboutent la clavicule et les fragments de l'os du bras qu'elles ne manquent pas de bander. On transporte le sénéchal dans le pavillon du roi. On le console lui recommandant d'être patient. Il guérira.

Messire Gauvain dit au roi :

— Sire, ainsi que vous l'avez jugé vous-même et proclamé, il n'est pas juste qu'un chevalier comme ces deux-là, ose arracher à ses pensées un autre chevalier. Lequel porta les premiers torts, je ne le sais, mais il est sûr que cela ne leur donna chance. Le chevalier songeait peut-être à quelque perte; ou bien songeait à son amie qui lui avait été ravie et en éprouvait grand-douleur. Si tel était votre plaisir, j'irais voir comme il répondrait s'il était hors de sa rêverie, qu'il veuille bien venir à vous je le prierais.

Ces mots mettent Keu en colère.

— Je vous dis, messire Gauvain, que vous l'amènerez par la main, qu'il veuille ou non. Qu'il vous demeure en bonne prise si on vous laisse aller à lui. Ce sera bien. Vous en avez conquis plus d'un, faisant ainsi. Quand un chevalier se sent las d'avoir longuement combattu, pour un prudhomme c'est bon moment de l'achever, qu'il reçoive un don plein de gloire! Ah, Gauvain, que je sois maudit si vous êtes devenu si fou qu'on n'ait à apprendre de vous! Ne donnez-vous pas pour comptant vos paroles pleines de miel? On croira peut-être que vous lui aurez crié dures paroles très hautaines et qui savent blesser un homme. Qui le croira sera bien sot. Mais moi je sais bien qu'un bliaut de belle soie vous suffira pour mener pareille bataille. Point besoin de tirer l'épée! Non plus de briser une lance. Que votre langue parvienne à dire: «Sire, que Dieu vous garde! Qu'il vous donne joie et santé!» Et il passera sans périr où vous voudrez! Je n'ai leçons à vous donner. Vous saurez bien l'amadouer, comme on fait caresse à un chat, lui passant la main sur le dos. Tous les gens n'en diront pas moins: «En ce moment Gauvain engage un fier combat!»

Mais Gauvain sitôt lui répond:

– Ah, messire Keu, vous pourriez parler avec un peu de gentillesse! Dessus moi voulez-vous venger votre colère? Sur ma foi, beau doux ami, je vous dis: je ramènerai le chevalier, si telle chose est en mon pouvoir, sachez-le bien. Il ne m'en coûtera, je vous dis, ni bras cassé ni clavicule. Cet argent-là je ne le prise!

Le roi dit:

– Lors, beau neveu, allez-y donc! Vous avez su parler en courtois chevalier. Prenez vos armes! Je ne veux pas que vous tombiez en la merci de quiconque.

Le bon et généreux Gauvain prend ses armes, monte sur un cheval aussi alerte que robuste et s'en va vers le chevalier toujours appuyé sur sa lance, ne paraissant point se lasser d'un rêve auquel il se complaît. Mais à cette heure-là déjà le soleil brillant a fait fondre deux des trois gouttes de beau sang qui avaient fait rouge la neige. Et la troisième pâlissait.

Perceval sort de son penser. C'est lors que messire Gauvain met à l'amble son cheval et s'approche très doucement de Perceval comme un homme bien loin de chercher querelle. Il dit :

– Sire, je vous aurais salué si je connaissais votre nom comme je connais le mien. Mais tout au moins je puis vous dire que je suis messager du roi ; que de sa part je vous demande et vous prie que vous veniez à sa cour pour lui parler.

– Deux hommes sont déjà venus. Et tous deux me prenaient ma joie et ils voulaient m'emmener, me traitant comme prisonnier. Ils ne faisaient pas pour mon bien. Car devant moi, en cet endroit je voyais trois gouttes de sang illuminer la neige blanche. Je les contemplais. Je croyais que c'était la fraîche couleur du visage de mon amie. Voilà pourquoi je ne pouvais m'en éloigner.

– Certes, sire, vous ne pensiez comme un vilain mais comme un doux et noble cœur. C'était bien rude folie que vouloir vous en déprendre. Mais plus encore que je peux dire, j'aimerais savoir ce que vous comptez faire. S'il ne vous déplaisait, volontiers je vous mènerais au roi Arthur.

– Beau sire, dites-moi vraiment si Keu le sénéchal est à la cour.

– Il est à la cour et sachez que c'est celui qui a combattu avec vous. Le combat lui a coûté car vous lui avez fracassé le bras droit et déboîté la clavicule.

– Elle a donc été bien vengée, la pucelle qu'avait giflée le sénéchal !

Que messire Gauvain a de joie en entendant ces paroles ! Il en frémit !

– Ah, sire, dit-il, c'est vous que le roi cherche!

Du haut d'un tertre les valets les ont vus tous deux si gais que sitôt portent la nouvelle au roi Arthur.

– Sire, sire, c'est messire Gauvain qui revient et avec lui le chevalier. Ainsi s'en viennent très joyeux.

Il n'est personne à les entendre qui ne bondisse hors de sa tente, vite leur allant au-devant.

Keu dit au roi:

– C'est donc ainsi: Gauvain, votre neveu, a remporté le prix. Dur combat et plein de dangers mais point trop car il s'en revient aussi sain comme il est parti. Nul ne lui a porté de coup ni senti le poids de son bras.

Perceval, étonné, demande le nom du chevalier.

– Sire, en baptême j'ai nom Gauvain.

– Gauvain?

– Oui, beau Sire.

Lors Perceval, joyeux, s'écrie:

– Sire votre nom je l'ai entendu en bien des lieux! Si je ne craignais vous déplaire, votre accointance je souhaiterais.

– Mon plaisir serait plus grand que le vôtre!

– Je vous suivrai donc où vous me mènerez. C'est justice et plus fier encore en serai puisque vous êtes mon ami.

Ils courent l'un vers l'autre et s'accolent. Ils délacent heaume et ventaille, de la coiffe rabattent les mailles et dans la joie tous deux s'en vont. De dire autrement, il s'en garde. Honneur à lui et toute louange! Les autres diront: «Regardez! Il l'a emporté là où deux hommes avaient échoué, très vaillants et très redoutables.»

C'est ainsi qu'en toute occasion messire Keu laisse courir sa langue.

Perceval n'ira à la cour sous le harnois de combattant. Messire Gauvain y veille. Il le mène à sa tente, lui fait ôter ses armes. Un valet a sorti d'un coffre une cotte et un beau manteau et l'on en revêt Perceval qui sait fort bien les porter. Puis c'est se tenant par la main que tous deux s'approchent du roi sur sa chaise devant sa tente.

Gauvain dit au roi :

– Sire, sire, j'amène un homme devant vous que, depuis quinze jours au moins, vous auriez vu volontiers. Celui-là dont tant vous parliez, pour qui vous êtes tant fâché. En personne le voici donc. Je le remets entre vos mains.

Le roi s'est levé de sa chaise pour faire accueil à Perceval. A Gauvain il dit :

– Beau neveu, à vous grand merci !

A Perceval il dit :

– Beau Sire, soyez ici le bienvenu ! Apprenez-moi de quel nom je dois vous nommer.

Perceval répond :

– Sur ma foi, beau sire roi, mon nom je ne vous cacherai pas, c'est Perceval le Gallois.

– Ah Perceval, beau doux ami, répond le roi, puisque vous voici en ma cour, s'il ne tient qu'à moi, je vous dis, non, vous ne la quitterez plus ! Quel grand regret j'ai eu d'abord, la première fois que je vous vis, de n'avoir alors deviné les exploits que Dieu réservait à votre bras. Toutes les oreilles de la cour les avaient entendu prédire. Tous vos exploits je les ai sus.

Alors s'est approchée la reine qui avait appris la

nouvelle. Avec elle venait aussi la pucelle qui si bien riait. Sitôt que Perceval a vu la reine (car c'est bien elle, on lui a dit), vers elle il vient à sa rencontre et dit :

– Que Dieu donne joie et honneur à la plus belle et la meilleure de toutes les dames au monde ! C'est selon ces mots que tous ceux qui la voient et ceux qui l'ont vue parlent d'elle, la célébrant.

– Soyez le bienvenu, dit la reine. A tous vous avez donné preuve de très grande et rare vaillance.

Perceval salue la pucelle dont il se souvient qu'elle riait, puis il dit :

– S'il vous en était besoin, belle, le chevalier je serais bien dont l'aide ne vous manquerait.

Et la pucelle remercie.

Ce même soir, le roi, la reine et les barons font grande fête à Perceval qu'ils conduisent à Carlion. Toute la nuit c'est la fête, encore le lendemain. Puis, le troisième jour, devant eux voient venir une pucelle allant sur une mule jaune, tenant en sa main droite, deux tresses noires sur le dos. Jamais vit-on être aussi laid, même en enfer ! Jamais vit-on métal si terne que cette couleur de son cou ou de ses mains. Mais autre chose était bien pire : ses deux yeux n'étaient que deux trous, pas plus gros que des yeux de rats. Son nez était un nez de chat, ses lèvres d'âne ou de bœuf, ses dents jaunes comme jaune d'œuf. Sa barbe était celle d'un bouc. Sa poitrine toute bossue, son échine toute tordue. Reins et épaules très bien faits pour mener le bal ! Une autre bosse dans le dos, jambes tordues comme verge d'osier très convenables aussi pour la danse.

La pucelle pousse sa mule jusque devant le roi Arthur. Avait-on jamais vu déjà pareille fille en cour du roi? Elle le salue et les barons tous ensemble sauf Perceval et, sans descendre de sa mule, elle lui dit :

– Ah, Perceval, si Fortune a cheveux devant, elle est bien chauve par-derrière! Qu'il soit maudit qui te salue ou qui te souhaite quelque bien! Fortune tu n'as su saisir quand elle passa près de toi! Chez le Roi Pêcheur tu entras et tu vis la lance qui saigne. C'eût été pour toi telle peine d'ouvrir la bouche, sortir un son, que non, tu n'as pu demander pourquoi cette goutte de sang qui coule du bout de la lance. Le Graal tu l'as vu, mais jamais à quiconque tu ne demandas quel riche homme on en servait. Qui voit le temps si beau, si clair, si favorable et attend plus beau ciel encore, il faut le plaindre! C'est pour toi que je dis cela. Ce fut ton cas. C'était temps et lieu de parler. Tu restas muet. Nul loisir ne t'a manqué. Ton silence nous fut un malheur. Il fallait poser la question : le Roi Pêcheur à triste vie eût été guéri de sa plaie; posséderait en paix sa terre dont plus jamais il ne tiendra même un lambeau. Sais-tu bien ce qu'il en sera? Les femmes perdront leurs maris, les terres seront dévastées, et les pucelles sans secours ne pourront plus qu'être orphelines et maint chevalier mourra. Tous ces maux-là viendront de toi.

Puis elle se tourne vers le roi :

– Je m'en vais, ne vous en déplaise. Mon logis est bien loin d'ici. Avez-vous jamais ouï parler du Château Orgueilleux? En ce lieu je serai ce soir. On y trouve les chevaliers les plus choisis, cinq cents et plus. Et il n'en est aucun parmi qui n'ait avec lui son amie, très nobles dames courtoises et belles. Et sachez que nul ne s'y rend sans y trouver joute ou bataille. Qui veut faire chevalerie y aille donc! Il y trouvera son dessein. Mais s'il veut remporter le prix dessus tous autres chevaliers je connais la pièce de terre où il pourra le conquérir s'il se montre assez hardi. C'est sur la colline en un lieu que domine Montesclaire. En ce château est assiégée une demoiselle. Celui qui, en levant le siège, délivrera la demoiselle en trouvera suprême honneur. Et plus encore celui à qui Dieu accordera la victoire pourra sans crainte ceindre l'épée qui possède étranges attaches.

Ayant parlé comme elle voulait, la demoiselle se tait et part, sans plus rien faire ni dire. D'un bond maître Gauvain se dresse et c'est bien haut que devant tous, annonce qu'il va secourir la pucelle ainsi assiégée. Gifflès, fils de Do, proclame bientôt à son tour que, Dieu aidant, il s'en ira devant le Château Orgueilleux.

– J'irai sur le Mont Douloureux, dit Kahedin, sans m'arrêter auparavant.

Mais Perceval parle autrement. Aussi longtemps qu'il le faudra deux nuits de suite ne couchera en même hôtel, ni n'entendra parler d'un pas hasardeux qu'il ne tente de le franchir. Qu'il ne trouve chevalier, ni un ni deux, qu'il n'aille le provoquer. Nulle peine il n'épargnera jusqu'à ce temps qu'il sache enfin quel homme se nourrit du Graal; quelle est cette lance qui saigne et sache aussi pourquoi elle saigne.

Cinquante chevaliers se lèvent et tous se jurent

l'un à l'autre que jamais joute ou aventure ne connaîtront qu'ils ne courent pour s'y jeter, même dans la plus ténébreuse et la plus noire des contrées.

Parlaient ainsi, quand tout à coup ils voient entrer Guingambrésil, un écu d'or à bande d'azur à son bras. Vers le roi tout droit il s'en va, le connaissant et le salue. Mais Gauvain il ne salue point et il le traite de félon et pour un combat il l'appelle, seul à seul :

– Gauvain, tu as tué mon père. Tu l'as attaqué sans le défier. A toi le blâme et déshonneur ! Traître tu es ! Ta trahison tu en répondras devant moi. Que tous les barons sachent ici que jamais je n'en ai menti !

Tout honteux, Gauvain s'est levé. D'un coup se dresse auprès de lui Engrevain l'Orgueilleux, son frère, disant, le tirant par le bras :

– Beau sire, pour l'amour de Dieu, ne laissez pas honnir votre lignage ! Vraiment je saurai vous défendre de cette insulte qu'on vous fait, oui, je le jure !

Gauvain arrête ses paroles :

– Nul homme ne me défendra, sire, si ce n'est moi ! Je suis le seul qu'il ait nommé. Si je me sentais fautif pour le moindre dommage envers lui, sitôt je lui demanderai la paix et je lui offrirais tel prix que mes amis comme les siens jugeraient juste. Celui-là a parlé sans frein et je suis prêt à me défendre par les armes en ce lieu ou en tel autre qu'il voudra. Voici mon gage.

Alors Guingambrésil s'écrie qu'après quarante jours de délai il saura bien lui faire avouer sa très vilaine trahison devant le roi d'Escavalon.

Mais Gauvain s'engage aussitôt :

– Sans nul retard je te suivrai en ce lieu-là que tu me nommes, et nous saurons bien reconnaître de quel côté sera le droit !

Guingambrésil s'est éloigné et Gauvain s'apprête à partir. Qui a bon écu, bonne lance, bon heaume et vaillante épée les lui offre, mais il ne veut rien emporter qui lui vienne des mains d'un autre. Avec lui vont un écuyer, sept destriers. Il prend deux écus. A peine a-t-il quitté la cour qu'on l'y regrette amèrement. Les gens se frappent la poitrine, s'arrachent les cheveux, se griffent le visage. Il n'y a dame si sensée qui devant tous les gens ne laisse éclater sa douleur. Ils sont maints et maintes à pleurer.

Et messire Gauvain s'en va. Maintenant je vous conterai ses aventures.

C'est sur la lande qu'il rencontre une troupe de chevaliers et derrière eux un écuyer, tout seul, l'écu au cou menant par la bride un cheval d'Espagne.

Il l'appelle :

– Écuyer, dis-moi qui sont ces gens qui passent ?

– Sire ce sont ceux de Mélian de Lis, chevalier vaillant et hardi.

– Es-tu à lui ?

– Non, sire. Mon seigneur, tout aussi vaillant se nomme Traé d'Anet.

– Par ma foi, je l'ai bien connu ! Où va-t-il ? Ne me cache rien.

– Sire, il s'en va à un tournoi où Mélian de Lis doit jouer contre Thibaut de Tintagel. Je souhaite que vous y alliez combattre avec ceux du château contre les autres chevaliers.

– Dieu! dit monseigneur Gauvain, Mélian de Lis ne fut-il pas nourri dans la maison de Thibaut?

– Oui, sire, que Dieu me sauve! Le père de Mélian aimait sire Thibaut de bonne amitié et de si bonne foi qu'étendu sur son lit de mort, il lui recommanda son fils. Le seigneur Thibaut le garda et le nourrit aussi chèrement qu'il put, si bien que Mélian pria et requit d'amour la fille aînée de son hôte, mais elle lui répondit que jamais elle ne lui donnerait son amour tant qu'il resterait écuyer. Or il en avait tel désir qu'il fut bientôt fait chevalier, et il revint à sa prière. « Non sera, en nulle manière, répondit-elle, par ma foi, tant que vous n'aurez devant moi tant fait d'armes et tant jouté que mon cœur vous aura coûté. Car les choses qu'on a pour rien ne sont si douces ni si bien que celles dont la quête est chère. Prenez un tournoi à mon père si vous voulez avoir ma main, car je veux sans faute savoir si ma foi sera bien logée quand je vous l'aurai accordée. » Le tournoi fut pris et il l'eut, ainsi qu'elle l'avait voulu, car l'amour a si grand empire sur ceux qu'il tient et qu'il inspire, qu'ils n'oseraient rien refuser de ce qui leur est ordonné. Sire, je crois que vous feriez bien d'aider contre eux ceux du château, car ils en auraient grand besoin.

– Frère, dit Gauvain au valet, suis ton maître, tu feras bien, et garde pour toi ton discours.

L'écuyer s'en va et messire Gauvain se dirige ver Tintagel, ne pouvant passer par ailleurs.

Thibaut avait fait rassembler tous ses parents et ses cousins. Il a mandé tous ses voisins, et tous y sont bientôt venus, grands, petits, jeunes et chenus. Sire Thibaut n'a pas trouvé d'accord en son conseil privé pour jouter contre son seigneur, car chacun d'eux avait trop peur qu'il les fît ensuite détruire.

Il a fait murer et enclore toutes les entrées de son château, et chaque porte fut murée de pierre dure et de mortier, qu'il n'y faille d'autre portier. Sauf une petite poterne, mais plus solide que le verre, qu'il a laissée libre. Elle était faite pour durer, de cuivre renforcé de fers. Elle en contient autant qu'en pourrait porter une charrette. Sire Gauvain va vers la porte, son bagage derrière lui. Il lui fallait passer par là ou bien retourner en arrière, sans autre chemin ni charrière, jusqu'à sept grandes lieues de là. Il voit que la porte est fermée. Il entre dans un pré, sous la tour, qui était clos de palissades. Il va s'installer sous un chêne où il a pendu ses écus. Les gens le voient du château, dont beaucoup étaient mécontents que le tournoi fût constamment repoussé. Il y avait là un vieux vavasseur, conseiller redouté et sage, riche de terre et de lignage ; jamais rien de ce qu'il disait, quel qu'en fût enfin le succès, n'était tenu en doute.

Il a considéré les arrivants qu'on lui montre de loin quand ils entrent dans le pré clos, et il va parler à Thibaut.

Il lui dit :

– Sire, Dieu me sauve ! Je suis bien sûr d'avoir vu là des chevaliers du roi Arthur, dans ces chevaliers qui nous viennent. Deux bons guerriers font du travail, plus que d'autres dans un tournoi, et je propose, selon moi, que nous engagions dès maintenant l'épreuve de ce tournoiement. Vous avez de bons chevaliers, de bons sergents, de bons archers. Ceux-ci leur tueront leurs chevaux, quand ils viendront, comme je le crois, tournoyer devant cette porte. Mais si leur orgueil les y porte, c'est nous qui en aurons le gain, et eux la peine et le malheur.

Par ce conseil qu'il lui donna, Thibaut ordonna à ses gens de s'armer et de sortir sur les lices, sitôt armés. Les chevaliers en ont grande joie, les écuyers courent aux armes et mettent la selle aux chevaux. Les dames et les demoiselles vont s'asseoir dans le haut des tours pour assister à la bataille. Elles voient l'équipage de messire Gauvain dans le pré au-dessous. Elles croient d'abord qu'il y a deux chevaliers, puisque deux boucliers étaient pendus à l'arbre, et elles sont contentes de pouvoir regarder ces chevaliers s'armer devant elles.

Elle devisaient, et plusieurs, parmi, se disaient :

– Dieu ! Doux Seigneur ! Ce chevalier a des harnais, des destriers, autant qu'il suffirait pour deux, et il n'a pas de compagnon ! Que fera-t-il de deux écus ? Aucun chevalier ne fut vu qui portât deux écus ensemble !

Et grande merveille leur semble de ce chevalier qui est seul avec des boucliers pour deux.

Pendant que ces dames parlaient, tous les chevaliers s'assemblaient. La fille aînée de sire Thibaut qui fit prendre cette rencontre, est montée à la tour, en même temps que sa sœur cadette qui s'habillait si gentiment qu'on l'appelait communément la Pucelle aux Manches Petites, tant ses manches gainaient ses bras. Et avec les filles du sire, sont montées toutes les dames du château. Voici que le tournoi s'assemble devant le château maintenant, et nul n'y est si avenant que Mélian de Lis. Témoin sa fiancée qui dit aux dames auprès d'elle :

– Dames, nul n'est plus beau parmi ces chevaliers qui joutent que le sir Mélian de Lis. Pourquoi mentirais-je ? J'éprouve joie et délices à voir un si beau cavalier ! Voyez comme il est bien en selle ! Comme il porte son écu et sa lance ! Qui donc montre plus d'élégance ?

Mais sa sœur, assise à côté, lui dit qu'il y avait plus beau, ce qui la fit mettre en colère. Elle se lève pour la frapper, mais les dames s'interposent et l'empêchent de la toucher, dont s'accroît encore sa fureur. Le tournoi maintenant commence. Il y est brisé mainte lance, et maint coup d'épée asséné, et maint chevalier démonté. Mais sachez qu'il en coûte cher d'attaquer Mélian de Lis ! Personne ne dure devant sa lance. Nul qui ne soit désarçonné ! Et quand enfin sa lance éclate, qu'à grands coups d'épée il se batte ! C'est le meilleur des combattants, qu'ils soient de l'un ou l'autre camp. Son amie en a si grande joie qu'elle ne peut la garder pour soi. Elle dit :

– Dames, voyez merveilles ! Vous n'en vîtes jamais de pareilles ni n'en entendîtes parler ! Voici le meilleur gentilhomme que vous puissiez voir de vos yeux ! Il est le plus beau et fait mieux que tous ceux qui sont au tournoi !

Mais sa petite sœur répond :

– Je vois qui, possible, est meilleur que lui.

La grande sœur revient contre elle, et dit, bouillante de colère :

– Vous, gamine, êtes trop hardie qui, pour votre malheur, osez critiquer la personne que je proclame belle et bonne! Payez-vous-en par cette gifle, et parlez mieux une autre fois!

Elle a tant frappé que ses doigts se sont marqués sur le visage. Les dames qui sont là blâment la sœur aînée et se détournent d'elle, puis se remettent à jaser de monseigneur Gauvain.

– Dieu! dit une des demoiselles, ce chevalier, là, sous ce charme, à quoi muse-t-il qu'il ne s'arme?

Une autre dame plus futée leur dit :

– Il a juré la paix!

Et une autre redit après :

– C'est un marchand! Ne croyez pas qu'il entende rien aux tournois. Il mène les chevaux à vendre!

– C'est un changeur, dit une quatrième! Il ne désire que vendre aux pauvres chevaliers sa marchandise. Ne croyez pas que je vous mente : ses malles sont pleines de monnaies et de vaisselle d'argent.

– Vraiment, c'est mal parler et vous avez grand tort, dit la petite. Croyez-vous qu'un marchand transporterait une aussi grosse lance que la sienne? Certes, vous me feriez mourir à dire vos diableries! Foi que je dois au Saint-Esprit, il a mieux l'air d'un tournoyeur que d'un marchand ou d'un changeur, et il semble bien chevalier.

Mais les dames, toutes ensembles, lui disent :

– Parce qu'il vous semble bon chevalier, ne l'est-il pas? Il fait tout pour y ressembler, pour plus facilement voler harnais et bourses et péages! Mais c'est un fou qui se croit sage, car à ce coup il sera pris, en voleur atteint et surpris en pillage vilain et fol, et il mourra, la corde au col.

Messire Gauvain clairement entend l'insulte, et il comprend ce que là-haut on dit de lui, et il en a honte et ennui. Mais il pense (et il a raison!) qu'on l'appelle de trahison, que pour s'en défendre il faut qu'il y aille, car s'il n'était à la bataille, ainsi qu'il en est convenu, il serait pour couard reconnu et son lignage méprisé. Et comme il peut bien redouter d'y être pris ou bien blessé, il doit s'abstenir du tournoi. Il en a pourtant grande envie, car il voit aller ce tournoi, et prendre force et intérêt. Mélian de Lis réclame de grosses lances pour frapper, toute la journée jusqu'au soir. Le jeu se fait devant la porte. Qui fait une prise l'emporte, là où elle est en sûreté.

Les dames, en ce moment, s'amusent à voir un valet chauve qui tenait un bout de lance et qui portait une têtière autour du col, débris qu'il glanait pour revendre. Or l'une d'elles à l'esprit fol, va l'interpellant et lui dit :

– Sire écuyer, Dieu m'aide, qui allez comme fol décoiffé, et qui, dans la foule, happez ces fers de lances, ces têtières, et ces débris, et ces croupières, vous faites un pauvre métier dont vous aurez petit loyer; alors que je vois près de vous, en ce pré-là qui est sous nous, un trésor sans garde ou défense! A son profit, fol qui ne pense quand il a beau jeu de le faire. Vous avez le plus débonnaire chevalier qui fût jamais né, et même vous lui plumeriez les moustaches qu'il ne bougerait pas. Dédaignez vos petits profits et prenez-lui, vous ferez bien, tous ses chevaux et tout son bien. Personne ne vous en empêchera.

Le valet entre dans le pré et caresse l'un des chevaux avec un bout de hampe et dit :

– Vassal! Êtes-vous en bonne santé que vous restiez à regarder, et ne fassiez rien du tout, ni trouer l'écu, ni briser de lances?

– Qu'as-tu à dire et que t'importe que je reste ici sans bouger? Peut-être que tu le sauras, mais non par moi, qui n'ai rien à te dire. Retire-toi et va ta route faire ta besogne!

Le valet maintenant détale. Nulle alors dans la tour n'ose parler de rien qui le blessât...

Voici que le tournoi s'arrête. Bien des chevaliers sont blessés, et beaucoup de chevaux sont tués. Ceux du dehors en ont le prix, mais ceux du château, le profit. Ils se séparent mais conviennent de recommencer le lendemain à tournoyer sur le terrain. On se quitte pour la nuit, et tous ceux qui étaient sortis du château de matin y rentrèrent.

Monseigneur Gauvain y alla et y entra en même temps que la troupe. Il rencontra le vavasseur devant la porte : c'était celui qui avait donné au seigneur Thibaut le conseil de commencer le tournoi. Il pria Gauvain de loger volontiers chez lui.

– Sire, dit-il, en mon hôtel est préparé votre séjour; veuillez l'accepter s'il vous plaît, car vous ne trouveriez pas d'abri si vous alliez plus avant. Restez chez moi, je vous en prie.

– J'accepte et je vous en remercie, beau sire, dit monseigneur Gauvain. J'ai entendu, ce jour, trop médire de moi.

Le vavasseur l'emmène à sa maison en parlant de choses et d'autres. Il lui demande par quelle obligation il n'avait pas jouté ce jour, et porté les armes au tournoi, et Gauvain lui dit pourquoi : on l'appelle de trahison et il ne veut pas risquer prison, ni blessure qui l'empêcherait d'être à ce rendez-vous. Il en mériterait un blâme pour lui et pour tous ses amis, s'il ne se présentait pas à la bataille pour l'heure convenue. Le vavasseur l'approuve et lui dit qu'il avait bien agi en délaissant le tournoi pour cette cause. Ils s'en vont jusqu'à la maison où ils descendent de leurs chevaux.

Cependant, les gens du château le dénoncent très durement et tiennent un grand parlement pour que leur seigneur l'envoie prendre. Et la fille aînée y travaille comme elle peut et comme elle sait, contre cette sœur qu'elle hait.

– Sire, dit-elle à son père, je sais bien qu'aujourd'hui vous ne perdez rien, mais peut-être avez-vous gagné un peu plus que vous le croyez, et je vais vous dire comment. Il vous suffira seulement de commander qu'on aille prendre cet homme. Il n'osera point se défendre, celui qui l'a fait entrer dans la ville. C'est un homme de tromperie : il voyage avec écus et lances, et avec des chevaux de main, afin d'éviter les péages en passant pour un chevalier. Ainsi passe-t-il en franchise, lui-même avec sa marchandise. Donnez-lui belle récompense. Il est chez Garin, fils de Berthe, qui l'a logé en son hôtel. J'ai vu qu'il l'emmenait par là, tout à l'instant, quand il passa.

C'est ainsi qu'elle s'efforçait pour faire à Gauvain grande honte. Thibaut prend son cheval et monte pour y aller voir par lui-même, et va tout droit à la maison où l'on avait logé Gauvain.

Quand la petite fille voit de quoi va s'occuper son père, elle sort par une porte derrière, en se cachant qu'on ne la voie, et elle court en droite voie jusqu'à l'hôtel où est Gauvain. Chez le fils de Berthe, Garin, il était deux filles très belles. Quand apprennent ces demoiselles que leur petite dame est là, elles l'accueillent à belle joie, et de bon cœur, et sans feintise. Chacune par la main l'a prise, et elles l'emmènent en riant, ses yeux et sa bouche baisant. Or Garin remonte à cheval (il n'était ni pauvre ni ladre), emmenant son fils avec lui. Les voilà qui vont tous les deux à la cour comme d'habitude, quand ils voulaient parler à leur seigneur. Ils le rencontrent sur le chemin, et le vavasseur le salue et lui demande où il s'en va. Le seigneur lui répond qu'il va se réjouir justement chez lui.

— Ma foi, je n'en suis pas fâché, dit Garin ni mécontent. Justement, vous y pourrez voir le plus beau chevalier du monde.

— Pourtant, je ne l'embrasserai pas, dit le sire, mais je le ferai prendre. C'est un marchand qui mène vendre ses chevaux et se dit chevalier.

— Seigneur, c'est trop laide parole ! Je suis votre homme et vous êtes mon seigneur, mais je vous rendrai votre hommage, pour moi et pour tout mon lignage, et vous défie dès maintenant, plutôt que nul désagrément ne blesse mon hôte chez moi.

— Allons ! Je n'en ai pas envie, dit le seigneur, et que Dieu m'aide ! Ni votre hôte, ni votre hôtel n'aura déshonneur par mon fait, mais ce n'est pas, croyez-le bien, faute d'en avoir été admonesté et conseillé !

— Grand merci, dit le vavasseur. Vous me faites beaucoup d'honneur à venir visiter mon hôte.

Ils cheminent donc côte à côte, et ils vont jusqu'à la maison, où messire Gauvain est logé. Quand messire Gauvain les voit, il se lève courtoisement et dit :

– Soyez les bienvenus !

Ils le saluent tous deux et ils s'assoient à son côté. Alors, le seigneur demande à Gauvain pourquoi il s'est tenu à l'écart du tournoi, sans même essayer de combattre. Gauvain ne lui a pas caché qu'il n'y eut ni laideur ni honte, et tout aussitôt il lui conte qu'un chevalier l'appelait de trahison, et qu'il allait s'en défendre devant une cour royale.

– Dans ce cas, vous fûtes loyal, dit le sire, sans aucun doute. Mais où sera cette bataille ?

– Sire, dit-il, je suis appelé devant le roi d'Escavalon, et je pense être sur la bonne route.

– Oui, dit le sire. Je vous donnerai une escorte qui vous y guidera, parce que vous devez passer par une bien pauvre contrée. Je vous pourvoirai de vivres et de chevaux pour les porter.

Messire Gauvain lui répond qu'il n'a nul besoin de rien prendre, car s'il peut y trouver à vendre, il aura toute la vitaille, et tous logements, où qu'il aille, et tant qu'il en aura besoin. Il ne veut donc accepter rien. Alors, le seigneur prend congé. Il voit au moment de partir sa petite fille venir qui, prenant la jambe de Gauvain dans ses deux bras, lui dit :

– Beau sire, écoutez ça ! Je suis venue me plaindre à vous de ma grande sœur qui me bat. Faites-moi mon droit, s'il vous plaît !

D'abord, sire Gauvain se tait, car il ne sait à qui elle croit parler, mais il lui caresse la tête. Or, la demoiselle l'arrête, et dit :

– A vous, je parle, sire ! A vous, je me plains de

ma sœur, je ne l'aime pas, je la déteste. C'est à votre sujet qu'elle m'a frappée aujourd'hui.

– A mon sujet! Qu'ai-je à y faire? Et en quel droit vous remettrai-je?

Le sire qui devait partir entend la plainte de sa fille et dit :

– Fille, qui vous envoie vous plaindre aux chevaliers?

– Sire, est-ce votre fillette? demande Gauvain.

– Oui, répond-il, mais ne vous occupez pas de ce qu'elle dit : c'est une enfant naïve et folle.

– Certes, fait messire Gauvain, mais je serais par trop vilain si je n'écoutais sa prière! Dites-moi, ma petite fille, enfant si douce et si gentille, comment je peux vous faire droit de votre grande sœur?

– Messire, demain seulement, s'il vous plaît, par amour de moi, vous vous mêlerez au tournoi.

– Or dites-moi, ma belle chère, si vous faites même prière à chevalier pour d'autre cas?

– Non, sire!

– Ne l'écoutez pas, fait le seigneur, quoi qu'elle dise, car c'est folie et mignardise.

Et messire Gauvain lui dit :

– Sire, que le Seigneur Dieu m'aide! La chose est trop gentiment dite, pour demoiselle si petite, et je ne lui refuse pas. Je serai demain, pour lui plaire, son chevalier pour cette fois!

– Merci à vous, beau cavalier, fait-elle, et elle a tant de joie qu'elle s'incline jusqu'à terre!

Puis, s'en allant sans plus rien dire, le père emporte sa fillette sur le col de son palefroi. En route, il veut savoir pourquoi était venue cette querelle. Elle lui raconte très bien la vérité de bout en bout, disant :

– Sire, je ne pouvais pas supporter d'entendre clamer par ma sœur que son Mélian de Lis est meilleur et plus beau que tous, alors qu'on voyait dessous nous, dans notre pré, ce chevalier. Et je n'ai pas pu m'empêcher de la rabattre en lui disant que je savais plus beau que lui. Et, pour cela, elle m'injurie, m'appelle folle garce et me bat! Maudit qui l'approuverait! Je me laisserais couper les deux tresses jusqu'au ras du cou, ce qui m'enlaidirait beaucoup, pour que mon chevalier demain mette son Mélian par terre! Alors cesseraient les louanges que madame ma sœur en dit! Elle en a tant fait aujourd'hui, qu'elle en ennuie toutes les dames! Mais grand vent tombe à peu de pluie!

– Chère fille, dit le seigneur, je vous conseille et vous permets, parce que ce serait courtoisie, que vous lui fassiez porter quelque gentillesse, comme une guimpe ou une manche.

– Je ferais bien ce que vous dites, mais j'ai des manches si petites, que je n'ose les lui offrir, répondit la naïve enfant. Peut-être, si je les lui donne, méprisera-t-il mon cadeau.

– Fille, laissez-moi y penser, fait le sire, et n'en parlez plus, mais sachez que j'en suis heureux.

Ainsi dit-il. Entre ses bras, il l'emporte et il est content de la tenir et cajoler. Il arrive devant son palais, mais quand l'aînée les voit venir, le père cajolant sa sœur, elle a grand ennui dans son cœur. Elle dit :

– Sire, d'où vient ma sœur, la Pucelle aux Manches Petites? Elle est très forte en manigances et s'y est très vite entraînée. Mais d'où l'avez-vous amenée?

– Et vous, que voulez-vous en faire? Vous devriez plutôt vous taire! Elle vaut mieux que vous ne valez. Vous lui avez tiré les tresses, et battue. Je ne le veux pas. Vous n'avez pas été courtoise.

La fille fut fort dépitée de ce que le père lui eût fait ce reproche et cet affront. Le sire fit tirer de ses coffres une pièce de soie vermeille dans laquelle on tailla une manche fort longue et large. Alors il appela sa cadette.

– Fille, dit-il, vous vous lèverez de bonne heure demain matin, et vous irez voir votre chevalier avant qu'il sorte de chez lui. Vous lui donnerez cette manche neuve pour qu'il la porte, en gage d'amour, quand il sera dans le tournoi.

Et elle répond à son père qu'elle veut être réveillée, et lavée et tout habillée dès que paraîtra l'aube claire. Le père la quitte à ces mots, et la petite, bien contente, dit à ses compagnes suivantes qu'elles ne la laissent pas dormir plus longtemps qu'il ne faut, mais qu'elles l'éveillent aussitôt qu'elles verront venir le jour, si elles veulent avoir s'amour. Et toutes et très bien le firent : dès la minute qu'elles virent au matinet l'aube crever, la firent lever et laver.

La pucelle, de bon matin, courut toute seule à l'hôtel de sire Gauvain. Mais ce n'était pas assez tôt, car Gauvain était au moutier entendre la messe chanter. La demoiselle, tant l'attendit chez le vavasseur qu'ils purent longuement prier, et écouter aussi longtemps que dura le sermon. La pucelle sauta contre Gauvain dès qu'il fut revenu du moutier et lui dit :

– Dieu vous sauve! Qu'il vous donne honneur

en ce jour, mais portez pour la mienne amour cette manche que je vous donne.

– Volontiers! Je vous remercie, fit messire Gauvain, amie!

Ensuite ne tardèrent guère les chevaliers qu'ils ne s'armèrent. Ils se rassemblent hors des murs, et les demoiselles remontent à leurs fenêtres tout en haut. Elles voient s'assembler les troupes des chevaliers forts et hardis. Devant tous, Mélian de Lis sort des rangs impétueusement, laissant ses compagnons à plus de cent toises derrière lui.

Quand l'amie a vu son ami, elle ne peut retenir sa langue. Elle dit :

– Voyez venir celui qui, de chevalerie, a le prix et la seigneurie!

Or messire Gauvain s'élance, tant que son cheval peut aller, vers Mélian qui n'en a pas peur. Mais Gauvain lui brise sa lance et le combat si vivement qu'il l'éprouve très violemment et qu'il le jette sur le sol. Ensuite il retient le cheval qu'il tient au frein, et il le donne à un valet, disant qu'il aille à celle pour qui il bataille et fasse don du premier gain de sa journée.

Et le valet, avec la selle, mène le cheval à la pucelle. Depuis sa tour, elle a bien vu Mélian de Lis abattu. Elle dit :

– Sœur, vous pouvez voir votre Mélian de Lis gisant, que vous alliez si fort prisant. Qui sait qui l'on doit admirer? Et, comme je vous le disais hier, on voit bien, que Dieu me protège! que d'autres valent mieux que lui.

A bon escient le disait-elle, voulant contrarier sa sœur et la pousser hors de ses sens. Celle-ci, furieuse, lui dit :

– Garce, tais-toi! Si je t'entends encore parler, j'irai telle gifle donner que tu ne tiendras plus sur tes jambes!

– Pitié, ma sœur! Pensez à Dieu! fait la petite demoiselle! Vous ne devez pas me frapper parce que je dis la vérité. J'ai bien vu Mélian s'abattre, et vous l'avez vu comme moi, et, m'est avis, je ne crois pas qu'il puisse se relever seul! Même en devriez-vous crever, je dirai toutefois, ma sœur, que toutes les dames le voient s'agiter tout à plat par terre.

Elle aurait reçu un soufflet si les dames n'avaient pas retenu sa grande sœur, quand elles voient venir l'écuyer qui menait le cheval pris. Il trouve la pucelle assise à une fenêtre et lui présente l'animal. Elle lui en rend plus de soixante mercis, fait prendre la monture, et le valet retourne vers son maître lui rendre les remerciements. Gauvain semble être de tout le tournoi sire et maître. Il n'y a vaillant chevalier qui ne vide les étriers dès qu'il pointe vers lui sa lance.

Jamais Gauvain ne gagna tant de chevaux. Il en a pris quatre en peu de temps, capturés de main ferme. Il en a envoyé le premier à la petite demoiselle, le deuxième pour remercier la femme du vavasseur pour son hospitalité ; les deux autres chevaux furent pour chacune des filles du vavasseur Garin.

Le tournoi est enfin terminé, et l'on s'en revient vers la porte. Messire Gauvain en remporte indiscutablement le prix. Il n'était pas encore midi quand on quitta le champ.

En revenant, messire Gauvain fut entouré de

tant de chevaliers que toute la ville en fut pleine. Tous ceux qui étaient là voulaient savoir qui il était, de quelle terre?

Il a revu la petite demoiselle, tout juste devant son hôtel. Et elle ne fit rien de plus que de saisir son étrier, de le saluer et lui dire :

– Cinq cent mille mercis, beau sire!

Il sait bien ce qu'elle veut dire et il lui répond franchement :

– Avant d'être chenu et blanc, à vous, pucelle, je m'engage de vous servir où que je sois. Je ne serai jamais si loin, que si j'apprends votre besoin, et qu'aucun ennui ne me tienne, qu'à votre aide je ne vienne.

– Grand merci, fait la demoiselle.

Cependant qu'ils parlaient ainsi, le seigneur vint à leur rencontre et, de tout son pouvoir, s'efforce à retenir sire Gauvain, pour cette nuit dans sa maison, et il lui demande son nom.

Messire Gauvain s'excusa de ne pouvoir rester, et dit :

– Messire, on m'appelle Gauvain; je n'ai jamais caché mon nom partout où on le demanda; mais je ne me fais pas connaître à qui n'en est pas curieux.

Quand le seigneur connut ce nom, son cœur fut tout rempli de joie. Il lui dit :

– Monseigneur, restez, et servez-vous de mon hôtel. Je ne vous ai pas servi hier, et je n'ai jamais rencontré chevalier, je puis le jurer, que tant que je voulusse honorer.

De mille façons il le pria, mais sire Gauvain s'excusa de ne pas se rendre à sa prière. Or la petite demoiselle, qui n'est ni folle ni mauvaise, lui prend

le pied et le lui baise, en le recommandant à Dieu.
Messire Gauvain veut savoir pourquoi elle agit de
la sorte, et elle lui répond que, si elle a baisé son
pied, c'est avec l'intention qu'il se souvienne d'elle
en quelque lieu qu'il soit.

Et il lui dit :

– N'en doutez pas ! Si Dieu m'aide, ma belle
amie, je ne vous oublierai jamais quand je serai
loin d'ici.

Alors il part et prend congé de son hôte et de tout
le monde. Et tous à Dieu le recommandent.

Messire Gauvain coucha cette nuit-là dans un
monastère.

Le lendemain, de bon matin, il chevauchait par
le chemin, si bien qu'il vit des bêtes forestières qui
paissaient à l'orée d'un bois. Il fit arrêter Yvonet
qui conduisait en main son meilleur cheval, et portait une lance raide et solide. Il prit sa lance, lui fit
resangler son cheval de main qu'il monta, et lui fit
garder son palefroi.

Le valet s'est empressé à lui donner cheval et
lance.

Gauvain s'en va après les biches. Il leur fait tant
de tours et d'embûches qu'il surprend une femelle
blanche et lui passe sa lance à travers le garrot.
Mais la biche saute comme un cerf et lui échappe ;
il court après et fait si bien qu'il l'arrête et va la
tenir. Mais juste à ce moment, son cheval se déferre
d'un pied de devant. Messire Gauvain revient vers
son bagage, inquiet de sentir son cheval ployer sous
lui. Mais il ne sait pourquoi il boite. Peut-être a-t-il
heurté quelque bûche ?

Il dit à Yvonet de mettre pied à terre et de vérifier les pieds de son cheval. Yvonet soulève les pieds du cheval et lui dit :

– Sire, il lui manque un fer. Nous n'avons qu'à aller doucement jusqu'à trouver un forgeron qui puisse le referrer.

Ils allèrent tant qu'ils virent des gens qui sortaient d'un château et s'en venaient à plein chemin. Devant la troupe allaient des valets court vêtus, garçons à pied, menant les chiens, et les veneurs allaient ensuite, armés d'arcs et de flèches. Et puis après, les chevaliers. Derrière toute la chevalerie venaient deux seigneurs sur deux destriers. L'un était un tout jeune homme, plus que tous avenant et beau.

C'est lui qui salua Gauvain, le prit par la main, lui disant :

– Sire, je vous retiens. Allez à l'endroit d'où je viens ; vous descendrez dans ma maison, car il est temps pour la saison de chercher un hôtel, s'il ne vous ennuie. Ma sœur est très avenante et vous accueillera avec plaisir. Mon compagnon, ici présent, vous conduira.

Il dit alors :

– Sire, vous conduirez ce seigneur auprès de ma sœur. Saluez-la d'abord et dites-lui que je la prie, pour l'amour et la foi que nous nous devons, si jamais elle estima chevalier, qu'elle accueille celui-ci et le tienne pour cher. Qu'elle fasse pour lui ce qu'elle ferait pour moi qui suis son frère. Qu'elle lui donne belle compagnie et lui épargne tout souci, jusqu'à notre retour. Quand elle le retiendra près d'elle, rejoignez-nous bien vite, et moi, je reviendrai tout aussi tôt que je pourrai.

133

Le chevalier conduit messire Gauvain là où tout le monde le hait mortellement, mais on n'y connaît pas son visage car il n'y est jamais venu, et il ne pense pas qu'il puisse avoir à s'y garder.

Il examine l'assiette du château qui est situé sur un bras de mer. Il voit que ses murs et sa tour sont si forts qu'ils ne redoutent aucune attaque.

Il admire cette ville toute peuplée d'heureuses gens, et les changeurs d'or et d'argent aux tréteaux couverts de monnaies diverses. Il voit ces places et ces rues pleines de bons ouvriers occupés à tous leurs métiers. Tous ces métiers sont différents ; l'un fait des heaumes et l'autre des hauberts, celui-ci des harnachements, l'autre des boucliers armoriés ; celui-ci fait des mors, l'autre des éperons. Ceux-ci fourbissent des épées, et ceux plus loin foulent des draps ; ceux-ci les tissent, ceux-là les peignent, d'autres les tondent.

Certains sont fondeurs de métaux, d'argent et d'or, ou font des œuvres riches et belles, des coupes, des hanaps, des écuelles, des joyaux ouvrés à émaux, des anneaux, des ceintures, des fermails. On pourrait bien penser et croire qu'en cette ville c'est toujours la foire, pleine qu'elle est de tant de richesses, de cire, de poivre, d'épices, de fourrures bigarrées ou grises, toutes sortes de marchandises.

Regardant toutes ces choses, et de place en place admirant, tant sont allés qu'à la tour furent. En sortent valets qui reçurent les chevaux avec le bagage.

Le chevalier entre en la tour, seul avec monseigneur Gauvain, et il l'emmène par la main jusqu'à la chambre de la jeune fille. Et il lui dit :

– Belle amie, votre frère vous envoie son salut ; il vous prie d'honorer et servir ce seigneur, non pas de mauvais gré, mais de tel cœur que vous auriez si vous étiez sa sœur, et que s'il était votre frère. Surtout ne soyez pas avare de tout faire à sa volonté, en largesse, franchise et débonnaireté. Pensez-y. Je m'en vais joindre nos gens au bois.

Elle répond joyeusement :

– Je bénis celui qui m'envoie telle compagnie que celle-ci. Qui me prête un si beau compagnon ne me hait pas ! Qu'il en ait mon merci. Beau sire, dit-elle à Gauvain, venez vous asseoir près de moi. Pour telle allure et la noblesse où je vous vois, et pour mon frère qui m'en prie, vous aurez bonne compagnie.

Alors, le chevalier s'en retourna, et les laissa tous deux ensemble.

Messire Gauvain reste avec la demoiselle et ne s'en plaint pas. Elle est gracieuse et jolie, et elle est si bien dans son rôle qu'elle ne voit rien d'étrange à être seule avec lui.

Ils se mettent à parler d'amour, mais s'ils avaient parlé d'autres choses, quelles sottises auraient-ils dites ! Messire Gauvain la prie d'amour et dit qu'il restera son chevalier toute sa vie. Elle ne le refuse pas et l'accepte bien volontiers.

A ce moment, un vavasseur entre où ils sont. Et c'est malheur, car il reconnaît bien Gauvain. Il les voit comme ils s'embrassaient et de bon cœur se caressaient.

Et dès lors qu'il vit cette joie, il ne peut rester bouche close, mais il s'écrie :

– Femme, sois couverte de honte ! Que Dieu te

détruise et confonde! Car tu te laisses réjouir par l'homme que tu dois haïr le plus au monde! Or il te caresse et t'embrasse! Femme perdue et inconsciente, comme tu fais bien ton métier! Tu devrais lui arracher le cœur du corps, mais non en lui baisant la bouche! Tes baisers lui touchent le cœur pour l'attirer à toi, alors que tu devrais le lui arracher avec les mains! Si la femme est incapable d'honnêteté, celle-là n'est pas femme qui déteste le mal et aime le bien. Qui l'appelle femme se trompe, car elle en perd le nom si elle aime la vertu. Mais toi, je le vois, tu es femme, car celui qui est assis là près de toi a tué ton père, et tu l'aimes! Quand une femme voit son plaisir, rien au surplus ne lui importe!

Ayant ainsi crié, cet homme se sauva, avant que messire Gauvain pût lui dire la moindre parole.

La jeune fille tombe sur le pavé et reste longuement pâmée. Messire Gauvain la relève, bien soucieux de la peur qu'il lui a vue.

Revenant à elle, elle dit :

— Nous sommes morts! A cause de vous, je vais mourir à tort, et vous, je pense, à cause de moi. La commune de cette ville va s'assembler autour de nous. Ils seront là plus de dix mille, amassés devant cette tour. Mais il y a assez d'armes ici; je vous en armerai. Un homme vaillant pourrait défendre cette salle basse contre toute une armée.

La jeune fille court chercher des armes pour leur sûreté.

Elle et messire Gauvain se sentent plus tranquilles quand elle l'a revêtu d'une bonne armure et bien armé. Mais ils ont une déconvenue en ne trouvant de bouclier. Il en fait un d'un échiquier et dit qu'il n'en veut point d'autre.

Il verse à terre les pièces d'échecs. Elles étaient en ivoire, très dures, et bien dix fois plus grosses que les échecs habituels.

Désormais, quoi qu'il arrive, Gauvain pense qu'il tiendra bien la porte et la chicane d'entrée. Il porte Escalibour à sa ceinture qui est bien la meilleure épée qui soit, tranchant le fer comme du bois.

En sortant de la tour, le vavasseur trouva, assis ensemble sur la place, un rassemblement de vilains, dont le maire, les échevins et beaucoup d'autres bourgeois, tous exempts de remèdes et bien portants.

Le vavasseur courut, criant :

– Vite aux armes, seigneurs ! Le traître Gauvain est ici, qui tua jadis notre roi. Allons le prendre !

– Où est-il ? Où est-il ? crient les gens.

– Je l'ai trouvé, dans cette tour ! il s'amuse près de notre demoiselle qu'il embrasse et caresse ! Elle ne s'en défend pas, mais elle semble s'y plaire ! Venez vite : nous le prendrons ! Si vous le livrez à notre sire, il vous en saura gré. Le traître a mérité d'être maltraité à sa honte. Cependant, prenons-le vivant : messire l'aimera mieux vif que mort, à juste raison : c'est que chair morte ne craint rien ! Ameutez la ville ! Faites votre devoir !

Aussitôt le maire se lève, et ses échevins comme lui. Alors, vous eussiez vu les vilains en colère, saisir des haches, des hallebardes, n'importe quoi. Celui-ci prend un bouclier sans courroie, l'autre une porte dégondée, l'autre un van. Le crieur crie le ban, tout le peuple s'assemble ; on sonne la cloche communale, que personne ne reste chez soi! Il n'est si lâche qu'il ne saisisse fourche ou fléau, ou pic, ou masse.

Jamais pour tuer la limace, ne fut tel bruit en Lombardie!

Il n'est si poltron qu'il n'y aille avec une arme.

Messire Gauvain est en péril de mort si Dieu ne le conseille.

La demoiselle s'apprête à le seconder hardiment. Elle crie aux communiers par une archère :

– Hou! hou! bande de vilains! Chiens enragés et mauvais serfs! Quel diable vous envoie ici? Que cherchez-vous? Que voulez-vous? Dieu vous maudisse! Si Dieu m'aide, vous n'aurez pas le chevalier, mais bien des vôtres y laisseront les membres ou la vie! Celui qui est ici n'y est pas venu par les airs0 ni par un souterrain secret. Il me fut envoyé comme un hôte par mon frère, qui m'a priée de le traiter comme je le traiterais lui-même. Me tiendriez-vous pour vilaine pour l'avoir bien reçu comme il me l'était demandé? Le croira qui veut, s'il m'écoute, ce n'est pas pour lui que je fus aimable, et je ne pensais pas à folie. Je vous en veux de cet affront que vous me faites, en tirant vos épées contre moi, à l'entrée de ma chambre, sans trop savoir pourquoi vous agissez ainsi. Et si même vous le savez, c'est à moi qu'il fallait le dire, au lieu de m'outrager!

Pendant qu'elle parlait, ceux du dehors brisaient la porte à coups de hache, et l'ont bientôt fendue en deux. Mais le portier qu'ils y trouvèrent leur en a interdit l'entrée. Le premier qui s'y présenta a si bien payé son audace que les suivants s'en sont émus, et que nul n'ose plus aller. Chacun prend garde à sa santé et craint d'aller perdre la tête. Nul n'est si hardi d'approcher de ce portier si redoutable, qui n'en touchera plus un seul, et n'en verra plus devant lui.

Pendant ce temps, la demoiselle, qui s'est retroussée et serrée, lapide à coups d'échecs qu'elle ramasse par terre, ceux qui sont dans la rue, jurant dans sa colère qu'elle les fera mourir, si elle le peut, avant d'y passer elle-même.

Les vilains se retirent. Ils crient qu'ils abattront la tour si le chevalier ne se rend. Ils se défendent à qui mieux mieux, à coups d'échecs qu'ils leur envoient. Plusieurs s'enfuient, ne pouvant souffrir leur assaut, puis se mettent à saper la tour à coups de pic, à sa base, dans l'espoir de l'abattre, car ils n'osent assaillir la porte qui leur est trop bien interdite.

Croyez-moi s'il vous plaît : cette porte était si basse et si étroite, que deux hommes n'y pouvaient entrer ensemble à moins de grande peine, et un preux suffisait à la défendre. Pour égorger entre les dents ou pour décerveler des assaillants sans casques, point de meilleur huissier que messire Gauvain !

De tout cela, ne savait rien celui qui l'avait accueilli, mais il s'en revint dès qu'il put du bois où il était allé chasser.

Pendant que les vilains sapaient la tour à coups de pioche, voilà le sire Guingambrésil, ignorant tout de l'aventure, qui s'en revient à grande allure, et se trouve fort étonné du bruit que mènent les vilains.

De ce que messire Gauvain soit au château, il n'en sait rien, mais quand il advint qu'il le sut, il défendit que nul ne soit si hardi, si son corps lui est cher, d'oser ébranler une seule pierre.

Mais ils lui répondent qu'ils ne cesseront pas leur travail pour ce qu'il leur a dit, et abattraient plutôt la tour sur lui, s'il se trouvait à l'intérieur.

Voyant que sa défense n'y vaut rien, Guingambrésil pense qu'il ira vers le roi qui chasse, et qu'il l'amènera voir la folie de ses bourgeois. Mais le roi revenait déjà.

Il lui dit quand il le rencontre :

– Sire, vos gens vous font grand-honte : votre maire et vos échevins assaillent depuis ce matin contre votre tour, et l'abattent. S'ils ne paient leur faute et s'ils n'achètent leur pardon, je vous en saurai mauvais gré : j'avais appelé Gauvain de trahison, vous le savez. Or c'est Gauvain que vous avez hébergé dans votre maison, et il est de droite raison, puisque vous en fîtes votre hôte, qu'il n'y trouve honte ni outrage.

Le roi dit à Guingambrésil :

– Maître, il sera respecté dès que nous serons arrivés. Quoique cette aventure m'ennuie et me gêne beaucoup, je ne puis m'étonner que mes gens le haïssent à mort, mais je dois, si je le puis, le garder de prison et de blessure, lui donnant l'hospitalité.

Il trouve ses gens autour de lui, qui mènent grand tapage. Il dit au maire de s'en aller, à chacun de rentrer chez soi. Tout le monde s'en va sans résister, puisque cela plaît à leur maire.

Il y avait là un vavasseur, natif du pays, qui conseillait les gens car il avait beaucoup de sens.

141

– Sire, dit-il, nous vous devons notre foi et le bon conseil. Il n'est pas étonnant que celui qui tua votre père en trahison ait été assailli par nos gens, car il en est haï de mort, et à bon droit, vous le savez. Parce que vous l'avez hébergé, il est garanti de mort comme de prison. Mais il faut aussi garantir le droit du sire Guingambrésil, ici présent, car c'est lui qui fut appelant de sa trahison chez le roi Arthur. On ne doit pas cacher non plus que Gauvain est venu pour se défendre en votre cour. C'est pourquoi je propose un répit pour cette bataille jusqu'à un an. D'ici là, que Gauvain s'en aille chercher la lance dont le fer saigne, jamais si sec qu'une goutte de sang n'y pende. Ou il vous donnera cette lance, ou se remettra sous votre main, en prison, comme il est ici. Vous aurez alors meilleure occasion de l'y maintenir, que vous ne l'avez à présent. Je ne crois pas que vous puissiez lui imposer plus lourde peine, que pourtant il puisse accepter. Il est bon de charger le plus possible ceux que l'on hait. Je ne connais pas meilleur conseil pour tourmenter votre ennemi.

Le roi se range à cet avis. Il va vers sa sœur, dans la tour, et la trouve fort en colère. Elle vient à lui toute dressée, accompagnant messire Gauvain, lequel ne pâlit ni ne tremble, malgré l'angoisse qui le tient.

Guingambrésil s'avance vers eux et d'abord salue la jeune fille, toute rouge dans sa fureur, puis il dit à Gauvain de dures paroles :

– Sire Gauvain, sire Gauvain ! Je vous avais pris à ma charge, mais tout en vous avertissant que vous ne soyez si hardi de pénétrer dans nos châteaux, ni dans les villes du royaume, et vous ne m'avez écouté. De ce qu'ici l'on vous a fait, ne convient pas tenir procès.

Alors le sage vavasseur parle :

— Sire, si le seigneur Dieu m'aide, tout ceci peut bien s'arranger. Ne peut-on rien en demander si les vilains l'ont assailli ? La dispute en continuerait jusqu'au Jugement dernier ! Mais je dirai, suivant l'avis de mon seigneur roi qui m'entend, et selon qu'il m'a commandé : Qu'il ne déplaise à vous ni lui que l'un et l'autre repoussiez jusqu'à un an cette bataille ! Que messire Gauvain s'en aille, pourvu qu'il nous fasse serment de nous donner d'ici un an la lance dont la pointe pleure le beau sang tout clair qu'elle sue. Car c'est écrit qu'il adviendra que tout le royaume de Nogres sera détruit par cette lance. Par ce serment, de votre foi, veut s'assurer mon seigneur roi.

— Certes, dit messire Gauvain, j'accepterais plutôt de mourir ou languir sept ans dans vos prisons que d'engager ma foi dans cette promesse. Je n'ai pas si peur de la mort que je ne préfère l'endurer que vivre à honte et parjurer.

— Beau sire, fait le vavasseur, vous n'aurez pas de déshonneur dans le sens que je vais vous dire, et vous n'en vaudrez jamais moins. Vous jurerez de tout tenter pour conquérir ladite lance, mais, si vous ne nous l'apportez, vous reviendrez dans cette tour et serez quitte du serment.

— De la façon que vous le dites, je suis prêt à faire le serment.

On lui a présenté un précieux reliquaire, sur quoi il a juré de chercher la lance qui saigne en y mettant toute sa peine.

Ainsi la bataille est laissée et jusqu'à un an repoussée entre lui et Guingambrésil. En sortant de cet embarras, Gauvain échappe à un grand péril.

Il prend congé de la demoiselle avant de sortir de la tour, puis il commande à ses valets de s'en retourner à sa terre, en y remmenant ses chevaux, sauf le seul Gringalet. Ainsi s'en vont les écuyers, et il n'y a plus rien à dire, ni d'eux ni du chagrin qu'ils ont à se séparer de leur seigneur.

A cet endroit le conte se tait de messire Gauvain, et reparle de Perceval.

L'histoire nous dit que Perceval a tellement perdu la mémoire de Dieu, qu'il ne s'en souvient pas.

Avril et mai passent cinq fois, ce qui fait cinq ans tout entiers, sans qu'il entre dans un moutier, sans adorer Dieu sur sa croix.

Il passa cinq années ainsi, mais pour autant ne délaissa à courir la chevalerie. Il cherchait les pires aventures, les plus cruelles et les plus dures, et s'il est vrai qu'il en trouva, il y fit de belles prouesses. Il n'en entreprit aucune si périlleuse qu'il n'en vînt à bout à son gré. Pendant ces cinq années, il envoya au roi Arthur en prisonniers soixante chevaliers renommés.

Il employa donc ces cinq ans sans aucun souvenir de Dieu, mais au bout de ces cinq années, comme il allait par un désert, cheminant habituellement, garni de toutes ses armes, il rencontra trois chevaliers qui faisaient escorte à dix dames. Ils étaient tous coiffés de chaperons, mais ils allaient à pied, déchaussés et en chemises de crin.

Les dames furent étonnées de le voir à cheval et en armes, pendant qu'elles-mêmes et leurs compagnons marchaient à pied, faisant pénitence de leurs péchés.

L'un des trois chevaliers arrête Perceval et lui dit :

– Bel ami cher, ne croyez-vous donc pas en Jésus-Christ qui écrivit la nouvelle loi et la donna aux chrétiens ? Il n'est ni bon ni raisonnable de s'armer, vous en avez tort, le jour où Jésus-Christ fut mort !

Et celui qui n'avait aucune idée du jour, de l'heure, ni du temps, tant il avait de vide au cœur, répond :

– Quel jour sommes-nous donc ?

– Quel jour ? Ne le savez-vous pas !

– C'est le Vendredi adoré, où l'on doit pleurer ses péchés et adorer la croix, car ce même jour fut crucifié, et vendu pour trente deniers, Celui qui fut pur de péchés. Il vit les péchés dont le monde est entravé et sali, et à cause d'eux se fit homme. C'est vérité qu'il fut Dieu et homme, que la Vierge enfanta un fils conçu par le Saint-Esprit. Dieu en reçut notre sang et notre chair. Ainsi sa divinité fut recouverte de chair d'homme. Qui ainsi ne le cherchera, jamais en face ne le verra. Il est né de Dame la Vierge, et prit la forme et l'âme d'un homme, avec Sa sainte divinité. Et en tel jour, par vérité, fut mis en croix et sortit ses amis de l'Enfer. Cette mort fut très sainte qui sauva les vifs et les morts, en les faisant passer de mort à vie. Les mauvais juifs, dans leur haine (on devrait les tuer comme des chiens) firent leur mal et notre bien quand ils le

mirent sur la croix. Ils se perdirent et nous sau-
vèrent. Tous ceux qui croient en Dieu doivent faire
aujourd'hui pénitence, et aucun chrétien ne devrait
porter d'armes, par champs ni chemins.

– D'où arrivez-vous maintenant? demanda Perceval.

– Sire, nous venons de tout près d'ici, où loge un
saint ermite, dans cette forêt, où il ne vit que pour
la gloire de Dieu, tant il est saint.

– Et là, seigneurs, que fîtes-vous? Que vouliez-
vous? Que cherchiez-vous?

– Quoi, seigneur? dit une des dames. Nous lui
avons demandé conseil pour nos péchés et nous
nous sommes confessés, faisant ainsi le plus utile
ouvrage que puissent faire des chrétiens pour aller
vivre auprès de Dieu.

Perceval, écoutant, pleura et il voulut aller parler
au prudhomme.

– J'irais bien, leur dit-il, si je connaissais le chemin.

– Sire, pour qui veut y aller, qu'il suive ce chemin tout droit, par où nous sommes venus! Par le
bois épais ou par les clairières, qu'il prenne garde
aux rameaux que nous y avons disposés quand
nous y allâmes. Nous y avons mis des repères que
nul ne s'égare en chemin.

Ils ne se demandent rien de plus, et s'entre-
recommandent à Dieu.

Perceval entre dans le chemin. Son cœur soupire
parce qu'il se remémore ses péchés, et s'en repent
de tout son cœur. Il traverse les bois en pleurant et
il arrive à l'ermitage. Il met pied à terre, se
désarme. Il attache son cheval à un charme, et il

entre chez l'ermite. Il le trouve dans une petite chapelle, en compagnie d'un prêtre et d'un petit clerc, qui commençaient par vérité le plus haut service et le plus doux qui se puisse en la sainte Église.

Perceval se met à genoux dès qu'il entre dans la chapelle. Le saint homme l'appelle à lui, le voyant si humble. Il pleurait tant que ses larmes coulaient jusque sur son menton.

Perceval se sentait si coupable envers Dieu qu'il se prosterna au pied de l'ermite et à mains jointes il le pria de le conseiller, car il en avait grand besoin.

Le saint homme lui dit de se confesser car il n'aurait aucun pardon s'il n'avouait et regrettait ses fautes.

– Sire, dit Perceval, depuis cinq ans, où que je sois, quoi que je fasse, j'ai oublié Dieu et ma foi, et je n'ai rien fait que le mal.

– Hé, bel ami, dit le prudhomme, dis-moi pourquoi tu fis ainsi, et prie Dieu qu'il ait merci de ton âme pécheresse.

– Sire, je fus un jour chez le Roi Pêcheur, et je vis la lance dont le fer saigne sans nulle cesse, et je n'ai rien cherché à savoir de cette goutte de sang qui coule de la pointe d'acier. Je n'ai pas mieux fait par la suite, et du Saint Vase que je vis, je ne sais qui en sont servis. Depuis, j'en ai eu tel dépit que j'en ai désiré mourir, oubliant Dieu. Je n'ai pas demandé pardon, et je n'ai rien fait que je sache, pour être pardonné.

– Hé, bel ami, lui dit l'ermite, dis-moi ton nom !

Il lui dit :

– Perceval, beau sire.

Le prudhomme à ce nom soupire, car il l'a reconnu. Il lui dit :

recoupit... Il lui dit

– Frère, ce qui t'a nui, c'est un péché que tu ignores. C'est la douleur que tu fis à ta mère au moment où tu l'as quittée. Elle en tomba, pâmée, à terre, à l'entrée du pont, devant sa porte, et c'est ainsi qu'elle mourut. C'est pour ce péché que tu fis que tu ne demandas rien, ni de la lance, ni du Graal. Il t'en est arrivé bien des mésaventures, et tu y fusses anéanti, si elle n'eût prié pour toi. Mais sa prière eut telle force que, pour elle, Dieu t'a gardé de la prison et de la mort. Ton péché t'a glacé la langue quand le fer que nul n'essuya saigna devant tes yeux. Ta raison ne s'éveilla pas et c'est par ta folie que tu ne pus savoir qui use de ce Graal. Celui qu'on en sert est mon frère ; ma sœur et la sienne fut ta mère. Et sache que le Roi Pêcheur est le fils de ce roi qui se nourrit du Saint Graal. Pourtant ne crois pas qu'il y trouve brochet ni lamproie ni saumon, mais seulement de l'hostie qu'on lui apporte dans ce Graal. Cette hostie soutient et conforte sa vie, tant elle est sainte, et lui-même est tellement saint que rien ne le fait vivre, que cette hostie dans le Saint Graal. Voici douze ans qu'il vit ainsi, que de sa chambre il ne sortit, où tu vis entrer le Graal. Maintenant, je te donnerai pénitence pour ton péché.

– Bel oncle, ainsi je le veux, dit Perceval de tout son cœur. Si ma mère fut votre sœur, appelez-moi votre neveu, et je vous appellerai mon oncle, pour mieux vous en aimer.

– C'est vrai, beau neveu, mais écoute : si tu as pitié de ton âme, si tu as un vrai repentir, tu iras, pour ta pénitence, à l'église tous les matins, et avant toute autre chose. Ne l'oublie pour nulle rai-

149

son : tu y gagneras. S'il y a un monastère, une chapelle, une paroisse où tu te trouves, vas-y dès que la cloche sonne, ou mieux, aussitôt ton réveil. Tu ne t'en repentiras jamais, et ton âme en sera plus forte. Si la messe est commencée, restes-y tant que le prêtre aura tout dit et tout chanté. Si tu fais cela de ton gré, ta valeur en augmentera, gagnant ensemble honneur et paradis. Aime Dieu, crois en Dieu et l'adore ; prudhomme et prudefemme honore ; lève-toi devant un prêtre. Ce sont des égards peu coûteux, mais Dieu les aime parce qu'ils viennent d'humilité. Si une fille t'appelle à l'aide, une veuve ou une orpheline, secours-la, il t'en ira mieux. C'est une aumône parfaite : aide-les et tu feras bien, et ne t'en relâche pour rien. Si tu veux être en grâce, comme tu le fus autrefois, je te dirai ce qu'il faut faire pour tes péchés. Dis-moi si tu le désires.

– Oui, sire, et bien volontiers !

– Je voudrais que tu restes pendant deux jours auprès de moi, et que tu prennes en pénitence la même nourriture que j'ai.

Perceval accepte tout. Alors, l'ermite, en grand secret, lui apprend une certaine prière qu'il lui répète jusqu'à ce qu'il la sache, et cette prière contenait beaucoup des noms du Seigneur Dieu, parmi les plus puissants, et que nulle bouche humaine ne doit prononcer.

Quand la prière fut apprise, il lui interdit de redire ces noms à moins de grand péril.

– Non, sire, je ne le ferai pas, dit Perceval.

Il resta donc et il entendit la messe dans la joie de son cœur. Après la messe, il pleura ses péchés et il adora la Croix. Il se repentit sincèrement, et il fut ainsi dans la paix.

Il eut, cette nuit, à manger ce qu'il plut à l'ermite, mais rien plus que betteraves, cerfeuil, laitue et cresson, sinon du millet et du pain fait d'orge et d'avoine, et puis de l'eau de la fontaine. Mais son cheval eut bonne litière de paille et un plein bassin d'orge, bien établé dans une bonne écurie.

Perceval prit ici conscience de la Passion et de la Mort que Dieu souffrit ce vendredi, et il communia à Pâques fort pieusement.

Ici le conte ne parle plus de Perceval, mais maintenant rapporte l'histoire de Gauvain.

Tant chevaucha messire Gauvain quand il s'échappa de la tour où la commune l'avait assailli, qu'à la fin d'une matinée, il arriva près d'une redoute où poussait un gros chêne de bel ombrage. Un écu pendait à ce chêne, à côté d'une lance appuyée sur le tronc. Il s'en approche et voit sous les rameaux un petit palefroi de robe noire. Il s'en étonna car il n'est pas habituel de voir ensemble des armes et un cheval de dame. Si c'eût été un destrier, il eût pensé qu'un chevalier, errant par le pays pour acquérir honneur et prix, eût installé cette bastille.

Mais il voit que, dessous le chêne, était assise une jeune femme qui aurait été belle si elle eût été heureuse, mais elle s'arrachait les cheveux, ses doigts fourrageaient dans ses tresses et elle pleurait dans son malheur. Elle pleurait pour un chevalier qu'elle baisait éperdument sur les yeux, le front et la bouche.

Gauvain arrive. Il voit le chevalier blessé, dont le visage est entaillé et porte une large plaie, comme un coup d'épée à la tête et, de deux endroits sur les flancs, coulaient des ruisselets de sang. Le chevalier s'était pâmé de la douleur de ses blessures, mais il reposait pour l'instant. Messire Gauvain ne savait pas, à première vue, s'il était mort ou vif.

Il demande à la demoiselle :

— Que pensez-vous de ce chevalier que vous tenez ?

Elle répond :

— Vous pouvez voir que ses blessures sont cruelles, car la moindre pourrait le tuer.

Gauvain lui dit :

— Ma belle amie, éveillez-le-moi s'il vous plaît. Je veux lui demander des nouvelles de la contrée.

— Sire, plutôt que l'éveiller, je me laisserais écorcher vive ! Jamais homme ne me fut si cher, et le sera tant que je vivrai ! Je serais folle et méprisable, quand je le vois se reposer, si je faisais rien dont il pût se plaindre de moi.

— Ma foi donc, je l'éveillerai, dit monseigneur Gauvain. J'y tiens.

Alors, il frappe le talon de sa lance contre son éperon, et le chevalier s'éveille sans colère, car l'éperon tinta si doucement qu'il n'en reçut aucun mal, bien au contraire, car il remercia et dit :

— Je vous donne cinq cents mercis pour m'avoir éveillé si doucement que je n'en ai pas souffert. Mais, pour vous-même, je vous prie de ne pas aller plus avant : ce serait faire une folie. Retournez, si vous m'en croyez.

— Et pourquoi m'en retournerais-je ?

— Par ma foi, je vous le dirai si vous voulez bien m'écouter. Aucun chevalier n'en revient, qu'il aille par champs ou par voie : c'est la frontière de Galvoie que personne ne peut passer avec l'espoir d'en retourner. Nul n'en est encore revenu, excepté moi, mais si blessé, que je n'y survivrai pas jusqu'à la nuit. J'y rencontrai un chevalier preux et hardi, et fort, et fier. Je n'en vis jamais de plus vaillant, ni n'en combattis de plus terrible. Mieux vaudrait vous éloigner que dépasser ce fortin. Le retour en est trop douloureux.

– Ma foi, dit messire Gauvain, je ne viens pas pour m'en aller. On pourrait me le reprocher comme trop plate lâcheté. On n'entre pas dans une voie si l'on n'y va pas jusqu'au bout. J'irai tant que je sache et voie pourquoi l'on n'en peut revenir.

– Je vois bien que vous le ferez, dit le blessé. Vous irez parce que vous voulez accroître votre renommée et votre valeur. Mais, si vous n'en êtes pas gêné, je voudrais vous prier de revenir jusqu'ici, pour le cas où Dieu vous ferait cet honneur, que nul n'obtint encore et que je ne pense pas que nul puisse obtenir, pour aucune raison. Vous verrez en votre pitié si je serai mort ou vivant, et s'il m'en sera mieux ou pire. Si je suis mort, par charité, et pour la Sainte Trinité, je vous prie que vous preniez soin de cette jeune femme qui m'accompagne, qu'elle n'ait ni honte ni mésaise. Et pour que vous l'ayez à gré, sachez que Dieu ne fit et ne veut faire femme plus franche et débonnaire, plus courtoise et mieux élevée. Or je la vois épouvantée à cause de moi, et elle n'a pas tort de craindre ma mort prochaine.

Messire Gauvain lui promet, s'il ne survient nul empêchement, ou prison ou autre embarras, qu'il s'en reviendra par le même chemin, et donnera à la pucelle le meilleur conseil qu'il pourra.

Il les laisse ainsi et il chevauche longuement par plaines et bois. Si bien qu'il vit un fort château que, d'une part, baignait un port plein de navires, et qui semblait presque aussi noble et riche que Pavie.

D'autre part étaient les vignobles et de grandes belles forêts, magnifiques et bien assises, avec le grand fleuve dessous, qui baignait tout le tour des murs et portait ses eaux dans la mer. Ainsi, le château et le bourg étaient entièrement fermés.

Monseigneur Gauvain est entré par le pont du château, et quand il fut sur le coteau, au plus élevé de l'esplanade, il voit sous un orme, en un pré, une demoiselle seulette qui, plus blanche que neige fraîche, mirait sa figure dans l'eau.

D'un diadème bordé d'orfroi, elle faisait une couronne. Messire Gauvain éperonne vers cette belle à grande allure, mais elle lui crie :

– Doucement ! Doucement, sire, et posément, car votre course est plutôt folle ! Il ne faut pas tant vous hâter, et galoper et tout gâter ! Bien fol est qui pour rien s'emploie !

– Que le Seigneur Dieu vous bénisse, dit messire Gauvain. Or dites-moi, ma belle amie, ce que vous pensiez en criant « doucement ! » sans savoir pourquoi ?

– Si fait, chevalier, par ma foi ! Je sais bien ce que vous vouliez.

– Et quoi, fait-il ?

– C'était me prendre et m'emporter dans la campagne sur le col de votre cheval.

– Vous avez dit vrai, demoiselle !

– Je le savais, répondit-elle, mais maudit soit qui y pensa ! Garde-toi d'espérer jamais que sur ton cheval tu m'emmènes ! Je ne suis pas la fille vaine dont certains chevaliers s'amusent, les emportant sur l'encolure, quand ils vont en chevalerie ! Tu ne m'y emporteras pas ! Et cependant si tu l'oses, peut-être m'emmèneras-tu : si tu voulais prendre la peine d'aller chercher et m'amener mon palefroi qui est dans ce jardin, je te suivrais, jusqu'à ce qu'il t'advienne en ma compagnie une bien cruelle aventure de deuil, de honte et déchéance.

– Belle dame, y faudra-t-il plus que du courage ? lui demanda-t-il.

– Non, vassal, je ne le crois pas.

– Hé, demoiselle, mon cheval, qui le gardera si j'y vais ? Car il ne pourra pas traverser l'eau en passant par cette planchette.

– C'est vrai, chevalier. Donnez-le-moi. Allez à pied. Je garderai votre cheval, tant que je le pourrai tenir. Mais hâtez-vous de revenir car je serais bien empêtrée s'il ne se tenait pas en paix, ou si on l'enlevait par force, avant que vous ne reveniez.

– Vous avez raison, lui dit-il. Si on vous le prend soyez quitte, et s'il vous échappe, aussi bien ; je ne vous en dirai jamais rien.

Il lui donne son cheval en garde et il s'en va. Il emporte avec lui ses armes, au cas où quelqu'un au verger l'empêcherait d'emmener le palefroi, sans dispute et sans bataille.

Voici donc, la planche passée, qu'il trouve une foule amassée de gens qui le regardent anxieusement, et disent :

– Que cent diables te brûlent, fille qui fait tant de malheurs ! Que ton corps ait malaventure, toi qui n'aimas nul chevalier ! Tu as fait trancher tant de têtes d'honnêtes gens que c'est grand deuil! Et toi chevalier qui veux emmener le cheval de la demoiselle, tu ne connais pas les souffrances qui te viendront si tu le touches de la main! Chevalier, pourquoi t'approcher? Vraiment, tu n'avancerais pas si tu savais quels outrages, quels maux, quelles souffrances te sont promises si tu l'emmènes!

Ainsi lui parlent tous et toutes, pour l'effrayer et qu'il n'allât au cheval, et s'en retournât.

Il les entend et comprend bien, mais ne veut pas abandonner. Il avance et salue les gens, et toutes et tous lui répondent bien tristement, si bien qu'il semble qu'ils ressentent pour lui ensemble grande angoisse et grande détresse. Et messire Gauvain s'approche du palefroi et tend la main. Il veut le prendre par le frein, car ni frein ni selle n'y manque.

Un grand chevalier se tenait sous un olivier verdoyant et lui adresse la parole :

– Chevalier, c'est par vanité que tu viens à ce palefroi. D'y tendre et le toucher du doigt, il ne t'en viendra que l'orgueil. Pourtant je n'ai pas l'intention d'y contredire, ni de t'empêcher de le prendre si tu en as si grand désir. Mais je te presse de partir, pour que le dommage ne t'en vienne d'ailleurs.

– Pourtant, je ne le laisserai pas, dit monseigneur Gauvain, beau sire, car la pucelle qui se mire, sous l'orme, là-bas, m'y envoie. Si je ne le prenais pas, que serais-je ici venu faire? J'en serais humilié sur terre, comme vaincu, lâche et failli.

– C'est de quoi te viendra malheur, dit le grand chevalier, beau frère! Car, par Dieu, le Souverain Père à qui je veux rendre mon âme, aucun chevalier jamais fit ce que tu veux, toi, faire ici, à qui n'en arrivât malheur, car il eut la tête tranchée, et c'est le destin qui t'attend! Si je te mets ainsi en garde, je ne veux en rien te fâcher. Si tu y tiens, prends le cheval; rien n'en sera changé pour moi, ni pour la honte qui te guette si tu l'emmènes. Je ne puis t'approuver d'aller là où tu en perdras la tête.

Ces paroles ne font pas céder messire Gauvain. Il fait, devant lui, passer la planche au palefroi, dont la tête était d'un côté noire, de l'autre blanche. Il passa la planche comme l'ayant déjà passée, très bien et très adroitement.

Puis messire Gauvain le prit par ses rênes faites de soie, et vint droitement jusqu'à l'orme où la pucelle se mirait. Elle avait quitté son manteau ainsi que son voile de tête pour admirer plus librement son visage et sa silhouette.

Messire Gauvain lui amène le palefroi avec sa selle, et lui dit:

– Venez çà, pucelle, pour que je vous aide à monter.

– Ne te permets pas de conter, lui dit-elle, par Dieu, à la Cour où tu vas, que tu m'aies eue entre tes bras! Si tu avais jamais touché, senti, palpé de ta main nue, quoi que ce soit qui fût sur moi, je m'en croirais déshonorée! J'aurais trop de honte, s'il était cru et raconté que tu eusses touché mon corps! J'aimerais mieux qu'on me tranchât à cet endroit, le cuir et la chair jusqu'à l'os, et je le dis! Tôt laissez-moi ce palefroi: je le monterai toute seule; ne te demande de m'aider. Que Dieu me donne en ce jour, de te voir bien honteux comme je souhaite, avant la nuit. Promène-moi où tu voudras; mais ni mon corps ni mes habits ne toucheras-tu de plus près. Je te serai toujours après, jusqu'à ce que, de moi, t'advienne quelque dure déconvenue, très honteuse et très douloureuse. Je suis bien sûre, et tu n'y échapperas pas, de te faire maltraiter à mort.

Messire Gauvain écoute ce que lui dit l'orgueilleuse demoiselle et ne lui répond rien, mais il lui donne son palefroi et elle lui laisse son cheval.

Monseigneur Gauvain se courbe pour ramasser son manteau par terre et le lui donner, mais la demoiselle le toise, violemment agressive et l'outrage honteusement.

– Vassal, lui dit-elle, que t'importent mon manteau et ma guimpe? Par Dieu! De moitié, je ne suis pas si sotte que tu le crois! Je ne désire pas ton service : tes mains ne sont pas assez propres pour tenir mon manteau ni mon voile de tête. Qui te pousse à palper ces lignes qui touchent à mon corps, à ma bouche, à ma tête ou à mes cheveux? Que Dieu me garde d'avoir un jour besoin de tes services!

La pucelle s'est mise à cheval, a pris son voile et s'est vêtue de son manteau, puis elle dit :

– Chevalier, allez où vous voulez! Je vous suivrai par tous chemins, afin de goûter votre honte, dès aujourd'hui s'il plaît à Dieu.

Et messire Gauvain se tait, et ne répond pas un seul mot. Tout penaud, il monte. Ils s'en vont. Il reprend, tout pensif, la route, vers le chêne où il a laissé la pucelle et le chevalier dont les plaies auraient eu besoin d'un médecin.

Or messire Gauvain savait mieux que personne guérir les plaies. Il voit dans une haie une herbe très efficace contre les douleurs de blessures, et il va la cueillir. L'ayant prise, il poursuit sa route jusqu'à retrouver la pucelle qui pleure toujours sous le chêne. Elle lui dit :

– Beau sire, je crois bien que mon chevalier est mort car il ne m'entend plus.

Sire Gauvain met pied à terre. Il trouve que le pouls du blessé est bon, que sa bouche et sa joue ne sont pas trop froides.

– Ce chevalier, demoiselle, est vivant, soyez-en certaine : il a bon pouls et bonne haleine, et ses plaies ne le tueront pas. J'ai apporté une herbe dont il se trouvera bien, je crois, qui diminuera ses douleurs, aussitôt qu'il l'aura sentie. Il n'y a pas de meilleure herbe à panser les plaies. On dit même qu'elle a tant de force que la lierait-on sur l'écorce d'un très vieil arbre, mais non encore tout desséché, les racines en reprendraient vie, et l'arbre si sain deviendrait qu'il serait tôt couvert de feuillage et de fleurs. Votre ami ne craindra plus la mort dès que nous l'aurons pansé avec cette herbe bien liée. Mais j'aurais besoin d'un voile fin pour le bander convenablement.

– Je vous donnerai tout de suite celui que j'ai sur ma tête, dit la pucelle, gentiment ; je n'en ai pas apporté d'autre.

Elle a ôté son voile de tête qui est fin et blanc, et messire Gauvain le découpe comme il lui est utile. Et de cette herbe qu'il avait, il panse toutes les plaies avec l'aide de la jeune fille, et sa bonne volonté. Messire Gauvain s'applique jusqu'au premier soupir du chevalier qui se met à parler :

– Dieu conserve celui qui me rend la parole, car

j'ai eu grande peur de mourir sans confession! Les diables, en procession, étaient venus chercher mon âme! Je voudrais être confessé avant d'être mis dans la terre. Je sais qu'un prêtre est près d'ici. Si j'avais de quoi chevaucher, j'irais lui dire et raconter mes péchés en confession, et communierais. Confessé et communié, je n'aurais plus peur de mourir. Mais rendez-moi service, s'il ne vous ennuie pas : donnez-moi le mauvais cheval de cet écuyer qui vient au trot.

Quand messire Gauvain l'entend, il se retourne et voit venir l'écuyer de mauvaise allure. Quelle allure? Je vais vous le dire : ses cheveux roux sont emmêlés, raides et hirsutes comme à porc-épic en colère. Ses sourcils sont de même sorte et lui couvrent tout le visage, et tout le nez jusqu'aux moustaches, qu'il porte longues et tordues. Il a sa bouche bien fendue, large barbe fourchue et crêpée. Court est son cou et sa poitrine est remontée d'une bosse.

Messire Gauvain marche vers lui, pour savoir s'il veut bien lui donner sa monture, mais avant dit au chevalier :

– Sire, que le Seigneur Dieu m'entende! Je ne sais pas qui est cet écuyer, mais si je le savais, j'aimerais mieux vous donner sept chevaux que ce méchant bidet qu'il monte!

– Sire, répond le chevalier, sachez aussi que cet homme ne recherche que votre malheur.

Messire Gauvain aborde l'écuyer et lui demande où il va. L'autre, d'un ton méprisant lui répond :

– Vassal, qu'as-tu besoin de savoir où je vais, et d'où je viens? Mais quelque chemin que tu suives, que ton corps ait cruel destin!

Messire Gauvain lui paie aussitôt récompense de sa rudesse en le frappant à main ouverte avec son gantelet de fer, et si heureux de le frapper qu'il le renverse de sa selle.

L'écuyer cherche à se relever, mais il chancelle et retombe par sept fois ou davantage, en moins d'espace qu'on en couvrirait avec un moulinet de lance.

Enfin, quand il s'est raffermi sur ses jambes, il crie :

— Vassal ! Vous m'avez frappé !

— Oui, dit Gauvain, je t'ai frappé, mais sans beaucoup t'endommager. Je suis mécontent toutefois de l'avoir fait. Mais, Dieu me voit, tu me parlais si sottement !

— Encore ne laisserai-je à dire la récompense que vous en aurez. Je perdrais la main et le bras à donner des coups comme vous faites ! Vous n'en aurez point le pardon !

Cependant qu'ils parlaient ainsi, le cœur qui s'était affaibli revint au chevalier blessé, qui dit à monseigneur Gauvain :

— Laissez cet écuyer, beau sire ! Jamais vous ne l'entendrez dire telle chose qui vous fasse honneur. Oui, laissez-le, vous serez sage et amenez-moi son cheval. Occupez-vous de cette demoiselle que vous voyez m'accompagner. Resanglez-lui son palefroi et l'aidez à se mettre en selle. Je ne veux plus rester ici. Je chevaucherai si je puis sur le roussin et chercherai où je pourrai me confesser, car je ne voudrais pas mourir sans recevoir l'extrême-onction : confession et communion.

Alors, pendant que messire Gauvain prend le

roussin et qu'il le donne au chevalier, celui-ci, dont la vue s'éclaircit et revient, regarde son sauveur et il le reconnaît.

Messire Gauvain a pris la demoiselle et l'a assise sur le palefroi norvégien, comme noble et courtois doit faire. Mais, pendant qu'il l'y asseyait, le chevalier enfourche son destrier, le monte et commence à le faire sauter çà et là. Monseigneur Gauvain le regarde qui galope sur l'esplanade. Il s'en étonne, puis en rit, et, tout en riant, il lui dit :

— Sire chevalier, par ma foi, vous faites folie, je le vois, à faire sauter mon cheval! Descendez et rendez-le moi, car vous en pourriez aggraver vos plaies et les faire crever.

L'autre répond :

— Gauvain, tais-toi! Prends le bidet, tu feras bien, car tu as perdu ton cheval. C'est à mon gré qu'il a sauté, et je l'emmène comme à moi.

— Que dis-tu? Je viens pour ton bien, et tu me ferais du mal! Ne me prends pas mon cheval, ce serait une trahison!

— Gauvain! au prix d'une telle faute, et quoi qu'il m'en doive advenir, je voudrais t'arracher le cœur de ton ventre avec mes deux mains!

— Or j'entends, répondit Gauvain, un proverbe que l'on répète et qui dit : « Pour ton aide, on te tranche le cou! » Mais j'aimerais savoir pourquoi tu voudrais m'arracher le cœur, tout en me volant mon cheval. Je ne t'ai jamais fait de mal, ni ne t'en ai fait de ma vie. Je ne t'ai jamais rencontré, c'est pourquoi je ne pense pas t'avoir jamais nui.

— Si fait, Gauvain! Tu m'as connu dans un lieu où tu fis ma honte! Ne te souvient-il de celui à qui tu fis un tel supplice que de l'obliger malgré lui à manger avec les chiens pendant un mois, les mains liées derrière le dos? Tu as fait alors la sottise dont la honte revient sur toi.

– Serais-tu ce Gréoréas qui efforça une pucelle et en fit son plaisir? Pourtant tu savais bien qu'au royaume du roi Arthur, les pucelles sont protégées. Le roi leur donne son secours : il les garde et il les assure. Je ne peux ni penser ni croire que tu me haïsses pour cette rigueur, et que tu m'en demandes vengeance. J'ai agi par loyale justice, qui est établie et respectée par toute la terre du roi.

– Gauvain! Tu m'as appliqué ta justice, il m'en souvient bien! Et maintenant, qu'il te convienne de souffrir ce que je voudrai. Ne pouvant actuellement davantage, je t'emmène ton Gringalet. Remplace-le par le bidet que tu montais quand tu as frappé l'écuyer. Tu n'en auras pas d'autre échange.

Alors, Gréoréas le laisse et va rejoindre son amie qui s'éloignait à belle allure, et il la suit au grand galop.

Or la mauvaise fille a ri au nez de Gauvain et lui dit :

– Vassal! Vassal! Qu'allez-vous faire? A présent, on peut dire de vous que le roi des sots n'est pas mort! Certes! C'est bel amusement que vous suivre, Dieu me regarde! Vers quelque endroit que vous tourniez, bien volontiers je vous suivrai! Je voudrais que ce mauvais cheval que vous avez volé à son écuyer, au lieu de cheval fût jument, pour qu'il vous en vienne plus de honte!

Cependant sire Gauvain monte sur le roussin sec et stupide, puisqu'il ne peut faire autrement.

L'animal est fort laide bête, grêle encolure et grosse tête, les oreilles longues et pendantes ; la vieillesse lui allonge les dents, tant que la bouche reste ouverte de la distance d'un bon doigt.

Les yeux sont troubles et obscurs, les pieds crôuteux, les flancs calleux, tout déchirés par l'éperon. La bête a le corps maigre et long, croupe osseuse, échine tordue. Les rênes et la têtière du frein sont faites d'une ficelle. La selle n'a pas de couverture, et depuis longtemps n'est pas neuve. Gauvain trouve les étriers si faibles et si courts qu'il n'ose même pas s'y appuyer.

– Ah, certes ! Tout est bien ! s'écrie la demoiselle exaspérante. Je serai contente et joyeuse d'aller partout où vous voudrez. C'est pour moi chose raisonnable que vous suivre bien volontiers, huit jours, ou quinze jours tout entiers, ou trois semaines ou un mois ! Vous êtes fort bien équipé ; vous chevauchez un bon cheval, et paraissez beau cavalier, propre à conduire une pucelle. Tout d'abord, que je me réjouisse à vous contempler malheureux ! Allons ! pressez votre cheval ! Éperonnez ! Éprouvez-le ! Et surtout restez sans émoi s'il est impétueux et rapide ! Je vous suis, comme c'est convenu, et je ne vous quitterai pas tant que la honte vous couvrira, et véritablement vous en aurez !

Il lui répond :

– Ma douce amie, vous parlez comme il vous plaît, mais il ne convient guère à une jeune femme d'être blessante et injurieuse si elle a dépassé dix ans. Elle doit être bien enseignée et courtoise et bien élevée, si elle est capable de bien comprendre.

164

– Comment! Prétendez-vous m'apprendre, chevalier de malheur? Je ne veux pas de vos leçons. Allez toujours et taisez-vous! Je vous vois tout aussi à l'aise que je l'espérais.

Ainsi, se taisant tous les deux, ils chevauchèrent jusqu'au soir. Il va et elle le suit toujours. Il ne sait comment se servir de son bidet dont il ne tire trot ni galop quoi qu'il en fasse. Qu'il le veuille ou non c'est le pas. S'il la frappe de l'éperon, la bête l'emmène sur les pierres et le secoue si péniblement qu'il préfère n'aller qu'au pas, quoi qu'il en soit.

Ainsi chevauche le roussin par les grandes forêts désertes, puis on arrive en terrain plat, près d'une rivière profonde, et si large que nulle fronde, nul mangonneau, nulle pierrière n'eût lancé outre la rivière ni trait d'arbalète ni plomb.

De l'autre côté de l'eau s'élève un beau château de majestueuse ordonnance, et d'apparence forte et riche.

Pour ne pas mentir, ce château est muré si fortement sur sa falaise que jamais telle forteresse ne frappa les yeux des vivants. Dans ce château, un grand palais est bâti sur le rocher brut, et tout construit de marbre gris. Il offre bien cinq cents fenêtres ouvertes, qui sont toutes garnies de dames et de demoiselles, en train de regarder devant leurs yeux les prés et les vergers fleuris. Beaucoup d'entre elles sont vêtues de soie sergée, de bliauts de belles couleurs, et des étoffes de soie qui les vêtent, plusieurs sont brodées d'or.

Ainsi se tiennent aux fenêtres les demoiselles. En les regardant du dehors, on voit leurs chevelures brillantes et leurs corps depuis la ceinture et plus haut.

Celle qui menait messire Gauvain, la plus méchante fille du monde, vient à la rivière tout droit. Elle s'arrête, elle descend du petit palefroi pommelé, et vient au rivage jusqu'à une nef enchaînée à une grosse pierre et cadenassée d'une clé. Sur le rocher était la clé de quoi la nef était fixée, et il y avait un aviron dans le bateau.

La demoiselle s'est embarquée, le cœur empli de trahison, elle attire son palefroi comme elle l'a fait maintes fois.

— Vassal, dit-elle, descendez, et embarquez-vous avec moi, sans oublier votre roussin qui est plus maigre qu'un poussin. Vous détacherez ce chaland. Si vous ne passez la rivière, on devra vous enterrer, ou vous jeter à l'eau.

— Vraiment, demoiselle, pourquoi ?

— Si vous voyiez venir ce chevalier que j'aperçois, vous vous enfuiriez vite !

Alors messire Gauvain tourne les yeux, et voit venir un chevalier parmi la lande, fort bien armé, et il demande :

— Amie, dit-il, ne vous déplaise, dites-moi qui chevauche ainsi mon bon cheval que m'a volé le faux traître que j'ai guéri ce matin de ses blessures ?

— Je te le dirai, par saint Martin ! dit la pucelle avec gaieté ! Mais sache bien en vérité que je ne te le dirais pas si c'était à ton avantage. Mais au contraire je suis sûre qu'il vient pour ta mésaventure. Je ne te cacherai donc pas que c'est le neveu de Gréoréas. Il l'a envoyé après toi, et je vais te dire pourquoi puisque tu me l'as demandé : son oncle lui a commandé de te suivre et de te tuer, et de lui apporter ta tête. Je t'encourage donc à descendre, à moins que tu ne veuilles mourir. Entre vite avec moi et sauve ta tête!

— Certes, je ne m'en irai pas, demoiselle, mais je l'attendrai.

— Eh bien! Je ne t'en empêcherai pas, dit la pucelle, et je m'en tais. Quelles belles charges et quels beaux chocs feras-tu devant ces pucelles qui t'admirent, gentes et belles, appuyées sur leurs balcons! Comme ces lieux sont embellis quand tant de beautés vous contemplent! Frappez! Elles seront contentes. Vous avez un fort beau cheval, et vous semblez bien chevalier qui doit combattre contre un autre!

— Quoi qu'il m'en doive coûter je ne fuirai pas, mais j'irai pour le rencontrer, car si je pouvais lui reprendre mon cheval, j'en serais joyeux.

Alors il tourne la tête de son roussin devers la lande, car son assaillant éperonne son coursier sur le sable de la plage.

Messire Gauvain l'attend. Il s'appuie sur ses étriers mais si fortement qu'il a cassé celui de gauche. Il déchausse son étrier droit et attend ainsi l'adversaire. Car son roussin ne bouge pas: à force l'éperonnerait-il sans qu'il le fasse remuer.

— Hélas, être si mal à l'aise sur cette bête, quand j'aurais tant besoin de toute mon adresse contre ce chevalier!

Le chevalier lance à toute allure son cheval qui ne boite pas, et il frappe Gauvain de sa lance, si fortement qu'elle ploie et se casse près du fer qui reste dans le bouclier. Mais monseigneur Gauvain l'atteint au sommet de l'écu, qu'il enfonce tant qu'il le traverse, avec le haubert tout au plein, et qu'il l'abat sur le sablon. En même temps, il tend la main et retient son cheval, puis saute en selle!

L'aventure lui paraît belle. Il a tant de joie dans son cœur que jamais, de toute sa vie, il ne fut si joyeux de rien.

Il revient à la pucelle qui s'était embarquée, mais il ne la retrouve pas, ni elle ni son bateau. Et il est tout désappointé qu'elle soit ainsi disparue, sans savoir ce qu'est devenue.

Comme il pensait à la jeune femme, il voit venir un bateau, monté par un nautonier, qui arrivait du château. Cet homme, quand il fut au port, lui dit :

– Sire, je vous apporte le salut de ces demoiselles ; et en même temps elles vous demandent de ne pas retenir mon bien. Rendez-le-moi donc, s'il vous plaît.

Gauvain répond :

– Que Dieu te bénisse! et en même temps la compagnie de ces demoiselles! Je ne te ferai jamais perdre ce que tu me réclameras avec justice. Je ne veux pas te faire tort, mais quel bien me demandes-tu ?

– Sire, vous avez abattu devant moi un chevalier de qui le cheval me revient. Vous me rendrez ce destrier si vous ne voulez pas me nuire.

– Ami, ce bien-là, dit Gauvain, me serait trop pénible à rendre, car je devrais aller à pied.

– Hélas, chevalier! Désormais, ces demoiselles que vous voyez vont vous tenir pour déloyal. En conservant ce qui m'appartient, vous vous conduisez mal! Jamais n'advint ni ne fut dit qu'en cet

169

endroit un chevalier fut abattu dessous mes yeux dont je n'ai eu le cheval. Eh, du moins, sinon le cheval, délivrez-moi le cavalier.

Alors, messire Gauvain lui dit :

– Ami, prenez sans contredit le cavalier. Je vous le donne.

– Sire, ce don n'en est pas un, dit le nautonier, par ma foi ! Et vous-même, à ce que je crois, auriez fort à faire à le prendre pourvu qu'il veuille se défendre ! Mais, si telle est votre valeur, allez le prendre et donnez-le-moi. Vous serez quitte de mon cheval.

– Ami, si je mets pied à terre, puis-je en confiance vous laisser mon cheval en garde ?

– Oui, répond-il, assurément ! Je vous le garderai loyalement et vous le rendrai volontiers. De ma vie, je ne vous nuirai, soyez-en sûr.

– Et moi, dit Gauvain, je te crois sur ta promesse et sur ta foi.

Alors il descend de son cheval et le lui donne. Le nautonier le prend et dit qu'il le gardera de bonne foi.

Messire Gauvain s'en va, l'épée en main, vers le blessé qui n'a pas envie de nouvelles blessures. Il a une telle plaie au flanc qu'il en a perdu bien du sang, et messire Gauvain s'approche.

– Sire, je ne puis vous cacher, fait le pauvre tout effrayé, que je suis durement blessé. J'en ai saigné plus d'un septier et je n'en veux pas davantage. Je me mets en votre merci !

– Alors, relevez-vous d'ici !

L'autre se relève avec peine, et messire Gauvain l'emmène au nautonier qui lui rend grâces.

Gauvain demande au nautonier s'il sait quelque chose de la jeune femme qui est arrivée avec lui, et s'il peut dire où elle est allée.

Il lui répond :

– Peu vous importe cette fille, et où qu'elle puisse aller. D'abord elle n'est pas pucelle, mais elle est pire que Satan ! Ici même elle a fait trancher la tête de maints chevaliers. Si vous voulez m'en croire, vous vous logerez aujourd'hui à tel hôtel comme le mien. Ce ne serait pas votre bien que de rester sur ce rivage car c'est une terre sauvage où se passent des choses étranges.

– Ami, si tel est votre avis, je me range à votre conseil, quoi qu'il en puisse m'arriver !

Il suit le nautonier qui lui a rendu son cheval ; ils s'embarquent et nagent vers l'autre rive.

La maison du nautonier était au bord de l'eau, et telle qu'un comte eût pu y descendre et s'y trouver bien. Le nautonier y accueille son hôte et son prisonnier. Il leur fait fête comme il peut.

Messire Gauvain y fut servi de tout ce qui convient à prudhomme : des pluviers, faisans et perdrix lui sont offerts ainsi que des venaisons. Et les vins étaient forts et clairs, blancs et rouges, nouveaux et vieux.

Le nautonier était joyeux, de son prisonnier et de son hôte. Quand ils eurent mangé, on leur ôta la table et ils se lavèrent les mains.

Toute la nuit, messire Gauvain eut bon logis et son hôte à sa dévotion et fut enchanté du service de cet homme qui lui plut.

Le lendemain, dès qu'il put voir que le jour était apparu, il se leva comme il avait accoutumé de le faire ; et le nautonier aussi se leva pour lui faire plaisir, et ils allèrent s'appuyer tous les deux à la fenêtre d'une tourelle.

Messire Gauvain admirait la contrée ; il vit les forêts et les plaines, et le château sur sa falaise.

– Hôte, dit-il, ne vous déplaise, laissez-moi vous le demander : qui est seigneur de cette terre et de ce château que voici ?

L'hôte répondit aussitôt :

– Sire, je ne sais !

– Vous ne savez ! Ce que vous dites est surprenant. Vous êtes sergent de ce château, avec des rentes importantes, et vous ne savez pas qui est votre seigneur !

– Vraiment, dit-il, je puis vous affirmer que je ne le sais pas et ne le sus jamais.

– Bel hôte, alors dites-moi qui défend le château et le garde ?

– Sire, il est très bien gardé. Cinq cents arcs ou arbalètes sont toujours prêts à tirer. Si quelqu'un tentait l'escalade, ces armes ne cesseraient pas de tirer et elles n'en seraient jamais lasses, car elles sont installées dans ce but. Je peux vous dire que nous avons une reine, très haute dame, riche et sage, et de très noble famille. Cette reine avec ses trésors (elle est riche d'argent et d'or) vint demeurer dans ce pays, et y a bâti ce fort manoir que vous voyez. Elle amena une dame qu'elle aime beaucoup, qui est reine comme elle, et qu'elle appelle sa fille. Cette dame a aussi une fille qui n'abaisse pas sa famille et ne lui cause aucune honte car je ne crois pas qu'il en existe de plus belle et mieux élevée. La grande salle est garantie par art et par

172

enchantement dont je vais vous entretenir s'il vous plaît que je vous le dise. Un clerc savant d'astronomie que la reine y amena, a installé dans ce palais de si merveilleuses machines que jamais vous n'en vîtes de pareilles. Nul chevalier n'y peut entrer, et y rester sain et vivant plus de temps qu'il n'en faut pour galoper une lieue, s'il est cupide ou s'il a tel vilain défaut comme tromperie et lésine. Ni lâche ni traître n'y dure, et non plus félon ni parjure. Ils y meurent soudainement sans pouvoir retenir leur vie. Nous avons beaucoup d'écuyers rassemblés de divers pays, qui servent ici au métier d'armes, et j'en compte plus de cinq cents. Les uns sont barbus, d'autres glabres. Cent n'ont ni barbe ni moustaches, cent autres peignent leurs barbes, cent les rasent une fois la semaine. Ils sont cent plus blancs que laine, et cent seulement grisonnants. Nous avons des dames âgées qui n'ont ni maris ni seigneurs. Elles furent chassées par injustice de leurs terres et de leurs honneurs, parce que leurs maris sont morts. Et nous avons des orphelines qui suivent les deux reines, lesquelles les tiennent à grand honneur. Tous ceux qui vont et viennent dans le palais s'attendent à un grand miracle qui n'adviendra sûrement pas. Ils espèrent l'arrivée d'un chevalier qui les protègera, qui remettra les dames dans leurs honneurs, donnera des maris aux filles et chevalerie aux écuyers. Mais la mer se prendrait en glace plutôt qu'un chevalier entre au palais qui serait tel qu'on l'exige : beau et sage et sans convoitise, preux et hardi, franc et loyal, sans vilenie ni aucun mal. Si tel il nous en arrivait, il pourrait tenir ce château, il rendrait aux dames leurs terres, éteindrait de mortelles guerres. Les jeunes filles il marierait, et les garçons adouberait. Il éteindrait sans rémission les enchantements du palais.

Ces paroles plaisent à monseigneur Gauvain.

– Hôte, dit-il, descendons ! Faites-moi rendre mes armes et mon cheval : je ne veux plus attendre pour y aller.

– Sire, où iriez-vous ? Restez chez moi, Dieu vous protège ! aujourd'hui et demain, et davantage.

– Hôte, ce ne sera pas une heure ! Que votre maison soit bénie ! mais je veux aller (que Dieu m'aide !) voir ces pucelles dans le fort, et les merveilles que vous dites.

– Taisez-vous sire ! S'il plaît à Dieu, vous ne ferez pas cette folie. Croyez-moi, restez avec nous !

– Taisez-vous, hôte ! Vous me prenez pour lâche et poltron ! Et maintenant, que Dieu m'oublie si je cherche un nouveau conseil !

– Ma foi, sire, je me tairai, car ce serait perdre ma peine. Puisqu'il vous plaît tant, vous irez, quoique je m'en afflige. C'est moi qui vous y conduirai, car nul autre guide, sachez-le, ne vous vaudrait mieux que moi. Sire, je voudrais un don de vous.

– Hôte, quel don ? Puis-je savoir ?

– Vous me l'avez déjà promis.

– Bel hôte, à votre volonté je ferai, mais que je n'y aie pas de honte !

Il commande que l'on sorte son cheval de l'écurie, tout équipé pour chevaucher. Il réclame en même temps ses armes qui sont aussitôt apportées. Il s'arme et monte et prend la voie. Le nautonier rassemble ses rênes et monte sur son palefroi pour le conduire de bonne foi, là où il le mène contre son gré.

Ils arrivent au pied du perron du palais. Il y avait là un homme n'ayant qu'une jambe, assis tout seul sur un fagot de joncs. Il avait une jambe d'argent, ou bien d'un métal argenté, liée de bandes serties d'or et de pierres précieuses. Le mutilé tenait un petit couteau dont il taillait un bâton de frêne.

Il ne leur dit pas un mot quand ils passèrent devant lui, et ils ne lui adressèrent pas la parole. Le nautonier dit à part à monseigneur Gauvain :

– Sire, que dites-vous de cet infirme ?

– Ma foi, dit sire Gauvain, son échasse n'est pas de bois blanc, mais elle est belle à mon avis.

– Par Dieu, reprend le nautonier, cet homme est riche de grandes et belles rentes. Mais si je ne vous avais tenu compagnie, vous auriez entendu des mots qui vous auraient fort irrité.

Ainsi passent-ils tous les deux et ils arrivent au palais dont l'entrée était très haute, et les portes riches et belles. Même les gonds et les charnières étaient d'or fin, nous disent les histoires ! L'une des portes était d'ivoire, bien ciselé sur sa surface ; l'autre porte de bois d'ébène, de la même façon ornée. Chacune bien enluminée d'or et de pierres précieuses. Le pavé du palais était de diverses couleurs : vert, rouge, bleu et violet, bien ajusté et bien poli. Au milieu de la salle, un lit, dont aucun endroit n'est de bois, mais rien moins que tout or, excepté seulement les cordes qui étaient faites en argent. De ce lit (je ne fais de fable), à chaque entrecroisement des cordes était pendue une clochette.

Sur ce lit était étendue une courtepointe de soie, et chacun des piliers du lit portait une escarboucle qui rendait plus de clarté que quatre cierges bien épris. Les pieds du lit étaient en forme de chiens qui grimaçaient bizarrement. Ces chiens cachaient quatre roulettes si mobiles et rapides que d'un seul doigt on promenait le lit d'un bout à l'autre de la pièce, si peu qu'on le poussât.

Tel fut ce lit, dont je dis la vérité. Jamais pareil n'en fut fait ni n'en sera jamais fait pour roi ni comte. Il était au milieu de la salle.

Du palais (je veux qu'on me croie) rien n'y fut bâti de tuffeau, mais les murs en étaient de marbre. Le plafond était une verrière si claire qu'en regardant bien, on voyait à travers ce verre tous ceux qui entraient au palais, et dès qu'ils en passaient la porte.

Les murs étaient peints de couleurs les plus chères et les meilleures que l'on sache broyer et faire. Mais je ne peux pas tout dire ni dépeindre toutes ces merveilles.

Le palais avait cent fenêtres ouvertes, et quatre cents autres fermées.

Très assuré, messire Gauvain allait partout, regardait tout, en haut, en bas et çà et là.

Quand il eut partout regardé, il appela le nautonier, et dit :

– Bel hôte, je ne vois nulle raison ici pourquoi je dois redouter ce palais, au point de n'y pas entrer. Qu'en dites-vous ? Qu'entendiez-vous pour me défendre si fort même d'y venir voir ? Je tiens à m'asseoir sur ce lit et m'y reposer un petit. Jamais je n'en vis d'aussi riche !

– Que Dieu, beau sire, vous en garde ! N'en approchez pas, s'il vous plaît, car vous mourriez de la pire mort dont jamais chevalier mourût !

– Hôte, que ferai-je donc ?

– Quoi ? Sire, je vous le dirai, puisque je vous vois disposé à prendre garde à votre vie. Quand vous avez décidé de venir ici, je vous demandai un don, à mon hôtel, mais vous ne sûtes pas lequel. Or le don que je vous demande, c'est de rejoindre votre terre. Et vous direz à vos amis et aux gens de votre pays que vous avez vu un palais si magnifique qu'il n'en est aucun pareil que vous sachiez, ni vous ni d'autres.

– Je dirai donc que Dieu me hait, et que je suis déshonoré ! Toutefois, mon hôte, il me semble que vous le dites pour mon bien. Mais je n'abandonnerai pas, et j'irai m'asseoir sur ce lit, et je verrai les demoiselles qui s'étaient hier appuyées aux fenêtres. Je vous le jure !

Celui qui recule pour mieux frapper répond :

– Vous n'en verrez pas une, de ces pucelles que vous dites ! Allez-vous-en comme vous êtes, car vous êtes venu pour rien ! Pour voir ces dames à votre aise, aucun effort n'y suffira. Mais elles, elles vous verront bien au travers de cette verrière, les jeunes filles et les reines, et les dames (que Dieu me garde !) qui sont logées de l'autre part !

– Ma foi, dit messire Gauvain, si je ne vois pas les pucelles, au moins m'assoirai-je sur le lit ! Car vous ne me ferez pas croire qu'on ait fabriqué un tel lit pour que personne ne s'y couche, ou gentilhomme ou noble dame. Par mon âme, je vais m'y mettre, quoi qu'il m'en puisse advenir !

Puisqu'il ne peut le retenir, le nautonier se tait, mais il ne veut pas rester là pour le voir s'asseoir sur le lit. Il va s'en aller et lui dit :

– Sire, je suis fort malheureux de votre mort, car jamais un chevalier ne s'assit sur ce lit pour en sortir vivant, car c'est le Lit de la Merveille, où nul ne dort ni ne sommeille, ni ne s'y repose et s'assied car jamais vif ne s'en relève. Je trouve qu'il est grand dommage que vous y laissiez votre vie, sans profit, rachat ni rançon. Puisque, par amour ni raison, je ne puis vous en préserver, Dieu prenne votre âme en pitié ! Mais mon cœur ne pourrait souffrir que je vous regarde mourir.

Le nautonier sort du palais, et messire Gauvain vient s'asseoir sur le lit, armé comme il est, avec son écu au collet.

Dès qu'il se fut assis, les cordes firent un grand bruit : toutes les clochettes sonnèrent, à travers le palais tonnèrent ! Aussitôt, les fenêtres s'ouvrent et les merveilles se découvrent ! Et les enchantements paraissent ! Par les fenêtres s'éjectèrent carreaux d'arbalètes et flèches, dont plus de sept cents vinrent frapper messire Gauvain sur son bouclier. Il ne savait qui le frappait. Car l'enchantement était tel que personne ne pouvait voir de quel endroit venait le tir ni où se cachaient les archers.

On comprend facilement le fracas que fit la détente des arbalètes et des arcs ! Messire Gauvain à cette heure eût voulu se trouver ailleurs, dût-il en débourser mille marcs !

Soudain les fenêtres se refermèrent d'elles-mêmes. Messire Gauvain se mit à retirer les flèches qui s'étaient fichées sur son écu, et dont plusieurs l'avaient blessé en plusieurs endroits d'où le sang s'épanchait. Mais, avant qu'il les eût ôtées, il soutint un autre combat. L'un des pieds du lit heurta une porte qui s'ouvrit, et un lion affamé, fort et cruel, grand et terrible, sauta d'un coup et attaqua Gauvain, avec une rage de colère. Il enfonça ses griffes dans le bouclier comme s'il eût été de la cire, et pesa tant que Gauvain dut s'agenouiller. Pourtant, il se dégagca et tira son épée du fourreau et il frappa si fort qu'il coupa la tête du lion et les deux pattes prises dans son bouclier !

Il a grand plaisir à voir les pieds rester pendus par leurs griffes à son écu, dont l'un pendait par le dedans et l'autre par-dehors. Il souffle alors et retourne s'asseoir sur le lit. Son hôte, qui était revenu sur ses pas, par inquiétude, est plein de joie de le revoir ainsi et il le félicite :

– Sire, je proclame que vous n'avez eu peur de rien. Otez maintenant votre armure car les enchantements du palais sont épuisés à tout jamais à cause de vous ! Ici (que Dieu soit adoré !), vous serez servi, honoré par les jeunes et par les vieux !

Des écuyers viennent en foule, tous habillés de manteaux courts. Ils se mettent à genoux et disent :

– Beau, cher et doux seigneur ! Nous vous présentons nos services, comme celui que nous avons tant attendu et désiré !

– Et je suis resté trop longtemps à votre gré, je vois !

Ils commencent à le désarmer, et d'autres vont établer son cheval qui était resté dehors.

Or, pendant qu'ils le désarmaient, entra dans la salle une jeune fille belle et avenante. Ses cheveux

étaient cerclés d'or, et ils étaient dorés autant que l'or et davantage. Son visage était blanc et la nature l'enluminait d'une couleur vermeille et pure. Belle et bien faite, longue et droite, on la voyait fine et adroite.

Des jeunes filles la suivaient, presque aussi belles et gracieuses, et un jeune garçon, tout seul, tenait par le col une robe, et cotte et surcot et manteau.

Ce manteau était doublé d'une zibeline plus noire que mûre, et l'étoffe était d'écarlate rouge vermeille.

Messire Gauvain s'émerveille des demoiselles qu'il voit venir et il ne peut se retenir de se mettre debout pour elles, disant :

– Soyez les bienvenues !

La première demoiselle s'incline alors et dit :

– Ma Dame la reine, beau et cher seigneur, vous salue. Elle commande ses serviteurs de vous tenir pour leur seigneur, et de vous donner leurs services. Je viens vous présenter le mien, la toute première et sans feinte. Toutes ces jeunes filles qui m'accompagnent vous tiennent pour leur seigneur depuis bien longtemps désiré. Elles sont heureuses de voir en vous le meilleur de tous les prudhommes. Sire, j'ai fini, et nous voici toutes prêtes à vous servir.

Elles sont agenouillées toutes, et se sont inclinées vers lui, comme celles qui se destinent à le servir et l'honorer. Il les fait vite relever et les prie de s'asseoir ; il est plein de joie à les voir, parce qu'elles sont jolies, qu'elles font de lui leur seigneur et leur prince. Jamais il ne fut si heureux que de cet honneur fait par Dieu.

La même jeune fille s'avance pour lui dire :

– Ma Dame vous envoie de quoi vous vêtir avant qu'elle vous voie. Prenez cette robe car elle pense, comme femme pleine de bon sens, que vous avez eu grand travail, grande peine et grande chaleur. Mettez la robe et l'essayez pour voir si elle est à votre mesure. Après le chaud il n'est que sage de se garder du froid qui trouble le sang et le gèle. Pour cela, ma Dame la reine choisit une robe d'hermine qui vous garantira du froid. Quand on tremble après avoir eu chaud, le sang se coagule et caille comme l'eau qui se prend en glace.

Et messire Gauvain répond, comme le plus courtois du monde :

– Que le Seigneur en qui nul bien ne manque sauve ma Dame la reine, et vous aussi, la bien parlante et la courtoise et l'avenante ! Je crois que ma Dame est très sage quand si courtois est son message ! Elle sait ce dont a besoin le cavalier, et lui convient, quand elle m'envoie de sa grâce cette riche robe à vêtir. Remerciez-la de ma part.

– Je vous le promets volontiers, lui dit-elle. Maintenant habillez-vous bien, et vous pourrez aller voir notre pays par les fenêtres ; ou bien, s'il vous plaît de monter en notre tour, vous admirerez les plaines, les forêts et les rivières, jusqu'à mon retour près de vous.

Alors, la jeune fille s'en va et messire Gauvain s'habille de la robe qu'il trouve riche, en agrafant son col d'une broche qui pend à l'encolure.

Il lui prend l'envie d'aller voir le paysage du haut de la tour.

Il monte avec le nautonier par l'escalier à vis

sous voûte, et ils arrivent au sommet. Ils voient le pays d'alentour, plus beau qu'on ne pourrait le dire. Là messire Gauvain admire la rivière et le plat pays, les grandes forêts giboyeuses. Il regarde son hôte et dit :

– Hôte, par Dieu, comme il me plaira d'être ici, d'aller chasser, tirer à l'arc par ces forêts que nous voyons.

– Sire, répond le nautonier, sur ce sujet, mieux vaut se taire, car il est dit et répété que celui que Dieu aimerait assez pour le faire acclamer ici maître, seigneur et défenseur, ne pourrait sortir des murs, soit à tort soit à raison. Par conséquent, ne parlez pas d'aller chasser ou de tirer, car ici est votre séjour dont vous ne sortirez nul jour.

– Hôte, dit Gauvain, taisez-vous ! Vous me mettriez hors de sens en me répétant vos paroles ! Sachez bien que je ne pourrais vivre jusqu'à sept jours ici, et non plus que cent quarante ans, si je n'en pouvais pas sortir chaque fois que je le voudrais.

Il descend et rentre au palais. Tout en colère et tout pensif, il reste assis dessus le lit, la figure triste et peinée. Et la jeune fille revient, qui lui avait déjà parlé.

Gauvain la voit et il se lève devant elle, comme s'il était furieux, et c'est ainsi qu'il la salue. Elle voit bien qu'il a changé de parole et de contenance. Elle s'aperçoit qu'il est fâché, mais elle feint de ne pas le voir.

Elle dit :

– Sire, quand il vous plaira, ma Dame viendra vous saluer. Votre repas est apprêté. Vous mangerez quand vous voudrez, ici, où vous êtes, ou là-haut.

Messire Gauvain lui répond :

– Belle, je n'ai pas envie de manger. Je me vois en sotte aventure. A manger, je n'aurais de joie, à moins qu'il ne me vienne des nouvelles dont j'aurais sujet de me réjouir. J'en aurais grand besoin !

La demoiselle s'en retourne, émue. La reine l'appelle auprès d'elle et lui demande ce qu'elle a.

– Belle nièce, dit-elle, comment avez-vous trouvé le bon seigneur que Dieu nous accorde ?

– Ah, ma Dame ! Reine honorée ! De deuil je suis morte, écœurée ! De ce bon et noble seigneur, on ne peut tirer un seul mot qui ne soit de grande colère ! Je ne sais pas pourquoi et il ne m'a rien dit, parce que je n'ai pas osé le lui demander. Ce que je peux vous dire de lui, c'est qu'à l'abord, aujourd'hui, je le trouvai si gracieux, si disert et si joyeux qu'on ne pouvait se rassasier de l'écouter parler et contempler sa joie. Et puis, il est d'autre manière. On croirait qu'il voudrait mourir et qu'il n'est rien qui ne l'ennuie.

– Nièce, ne soyez pas si triste car bientôt reviendra sa paix, en même temps qu'il me verra. Il n'aura jamais tant de colère qu'il ne l'oublie et ne la remplace par la joie.

La reine s'est alors levée et elle est venue au palais. Elle est accompagnée de l'autre reine, à qui il plaît bien d'y aller, et elles emmènent avec elles deux cent cinquante demoiselles et au moins autant de garçons.

Quand Gauvain voit venir la reine, qui tenait l'autre par la main, son cœur (souvent le cœur devine !) lui dit que c'est là cette reine dont il a entendu parler. Et c'était bien à deviner, à ce qu'elle eût des tresses blanches qui lui descendent sur les hanches. Elle était vêtue d'une étoffe de soie blanche à fleurs d'or, finement tissée.

Messire Gauvain s'empresse vers elle et la salue. Elle lui dit :

– Sire, je suis dame après vous de ce palais. Je vous en laisse seigneurie car vous l'avez bien méritée. Dites-moi : n'êtes-vous pas de la maison du roi Arthur ?

– Dame, oui vraiment.

– Êtes-vous, je voudrais savoir, parmi les chevaliers du guet qui, dit-on, font maintes prouesses ?

– Dame, non.

– Je vous en crois. Mais seriez-vous, dites-le-moi, compagnon de la Table Ronde, parmi les plus prisés du monde ?

– Dame, dit-il, je n'oserais dire que je sois des plus prisés. Je ne me crois pas des meilleurs, mais ne suis pas non plus des pires.

Elle lui répond :

– Beau sire, nobles propos vous entends dire, que vous vous refusez le prix du mieux et le blâme du pis. Mais parlez-nous du roi Loth. Combien eut-il de fils de sa femme ?

– Dame, quatre.

– Nommez-les-moi.

– Dame, Gauvain qui fut l'aîné ; le deuxième fut Engrevain ; Gaheriés et Gueréhés, tels sont les noms des deux derniers.

Alors, la reine lui redit :

– Sire ! Que le Seigneur Dieu m'aide ! Tels sont

bien leurs noms, ce me semble, mais plût à Dieu que tous ensemble ils fussent ici avec nous ! Mais, dites-moi, connaissez-vous le roi Urien ?

– Dame, oui.

– Et n'a-t-il à la Cour nul fils ?

– Dame, deux de grand renom. L'un d'eux s'appelle Yvain, le courtois, le bien éduqué. Chaque jour, je suis plus heureux quand j'ai pu le voir le matin. Si calme et si vaillant est-il ! Et l'autre aussi s'appelle Yvain, mais n'est pas son frère germain, c'est pourquoi on l'appelle l'Avoutre. Il démonte tous les chevaliers qui se mesurent avec lui. Ils sont à la Cour tous les deux, très vaillants, loyaux et courtois.

– Beau sire, fait-elle, et le roi Arthur, comment se porte-t-il ?

– Dame, mieux qu'il ne fut jamais, plus sain, plus agile et plus fort.

– Ma foi, il n'était pas tordu, étant enfant, le roi Arthur ! S'il a cent ans, il n'a pas plus, et ne peut avoir davantage. Mais je voudrais encore savoir de vous, s'il ne vous ennuie pas, comment se maintient la reine ?

– Vraiment, Dame, elle est si courtoise, elle est si belle et si sage, que Dieu ne fit aucun pays où l'on trouve aussi gente femme ! Depuis que Dieu a formé la première femme de la côte d'Adam, nulle ne fut plus renommée ! Elle le mérite. Elle éduque les petits enfants tout aussi bien qu'un savant maître. En effet, ma Dame la reine enseigne et apprend à chacun. D'elle descendent tous les biens. Tout vient d'elle, tout y prend vie. Personne ne la quitte découragé. Elle sait ce que chacun vaut, et ce qu'elle peut pour chacun, et de quelle façon lui plaire. Nul homme ne fait honneur ou bien qu'il ne l'ait appris de ma dame, et nul, si malheureux soit-il, qui la quitte avec sa colère.

– Comme vous, sire, en me quittant.

– Dame, dit-il, je vous en crois, car avant que je ne vous voie, tout me venait indifférent, tant j'avais de colère et de peine. Mais à présent je suis heureux, plus que je pourrai jamais l'être.

– Sire, par Dieu qui me fit naître, lui dit la reine aux cheveux blancs, encore doubleront vos plaisirs et croîtra votre joie qui ne vous manquera jamais. Et puisque à présent, vous voilà joyeux, et que votre repas est prêt, vous mangerez quand vous voudrez, en quelque lieu qui vous plaira. S'il vous plaît, ce sera là-haut, ou ici s'il vous agrée davantage.

– Dame, je ne veux pas changer ce palais pour aucune chambre, car on m'a dit que jamais chevalier n'y mangea ni ne s'assit.

– Non, sire, et qui s'en sortit, ni qui vivant y demeura, le temps d'un galop d'une lieue, ou même d'une demi-lieue.

– Dame, j'y mangerai donc si vous me le permettez.

– Je vous l'accorde volontiers. Vous serez donc le chevalier qui premier y mangea jamais.

La reine s'en alla alors, et laissa, de ses demoiselles, deux cent cinquante des plus belles qui mangèrent avec Gauvain. Elles le servirent et l'amusèrent à son plaisir.

Les écuyers servirent aussi joyeusement ce repas. Plusieurs d'entre eux étaient tout blancs, d'autres grisonnaient, d'autres non. Plusieurs n'avaient ni barbes ni moustaches, et de ceux-ci, deux furent à genoux devant leur sire, l'un qui taillait les aliments, et l'autre qui servait à boire.

Messire Gauvain avait fait asseoir son hôte auprès de lui.

Le repas ne fut pas court; il dura plus que l'un des jours d'alentour de la Trinité. La nuit était dehors laide et obscure, mais beaucoup de torches furent brûlées avant la fin de ce repas. En mangeant on parla beaucoup et l'on dansa force rondes et caroles.

Enfin, las de se trémousser, pour leur seigneur très aimé, après manger ils se couchèrent.

Gauvain voulut dormir aussi et se coucha au Lit de la Merveille. Une pucelle lui passa un oreiller sous son oreille, qui lui fit faire un bon sommeil.

Le lendemain, à son réveil, on lui fit apprêter une robe d'hermine et de soie.

Le nautonier vint au matin, le fit lever et s'habiller et se laver les mains. A son lever fut Clarissan, la sage, la belle et la vaillante, la prudente en bonnes paroles, qui, ensuite se présenta dans la chambres de la reine, son aïeule. Elle lui posa cette question :

– Nièce, par la loi qui m'est due, votre sire est-il réveillé?

– Oui, Dame, il y a longtemps.

– Et où est-il, ma douce nièce?

– Dame, il alla dans la tourelle. Je ne sais s'il en est descendu.

– Nièce, je veux y aller le voir, et s'il plaît à Dieu aujourd'hui, il n'aura que bonheur et joie.

A l'instant, la reine se dresse, désirant voir le chevalier, et elle le retrouva là-haut à la fenêtre d'une tour.

Il regardait une jeune femme et un chevalier tout armé qui allaient là-bas, dans le pré.

Il voit que de l'autre côté, les deux reines étaient ensemble. Elles ont vu Gauvain et son hôte à deux fenêtres plus loin.

– Sire, bien soyez-vous levé! Que ce jour vous soit profitable, et joyeux, font les deux reines, par le don du glorieux Père qui de sa fille fit sa mère!

– Grande joie, Dames, vous donne-t-il, qui envoya son Fils sur terre, pour exalter la chrétienté! Mais, si vous le voulez bien, venez jusqu'à cette fenêtre, et vous me direz qui peut être la demoiselle qui vient là, accompagnée d'un chevalier qui porte un écu à quartier?

– Je vous répondrai sans retard, dit la reine qui le regarde. C'est celle (que le diable la brûle!) qui vint avec vous hier soir. Mais ne vous occupez pas d'elle : elle est trop méchante et vilaine! Du chevalier qu'elle accompagne, ne vous occupez pas non plus! Il est, sachez-le, sans erreur, courageux comme les meilleurs. Sa bataille n'est pas un jeu. Il a mis à mort sous nos yeux maints chevaliers sur ce rivage.

– Dame, dit-il, je veux aller à la demoiselle parler. Je vous en demande congé.

– Sire, à Dieu ne plaise que je vous laisse aller à votre malheur. La demoiselle est malfaisante, qu'elle aille seule à sa besogne! S'il plaît à Dieu, vous ne sortirez pas du palais pour une telle bonne à rien! Vous ne devriez jamais sortir des murs si vous ne voulez notre tort.

– Hélas! O reine débonnaire! A ce coup, vous m'effrayez fort! Je me tiendrai pour mal payé si je ne puis jamais sortir! Qu'il ne plaise à Dieu que j'y sois aussi longuement prisonnier.

– Ma Dame, fait le nautonier, laissez-le faire ce qu'il veut : si vous le serrez malgré lui, il pourrait mourir de chagrin.

– Je le laisserai donc sortir, dit la reine, mais à condition que, si Dieu le garde de mourir, il nous reviendra cette nuit.

– Dame, dit-il, soyez tranquille, je reviendrai si je le peux. Pourtant, je vous demande une grâce : ordonnez, s'il vous plaît, que mon nom ne me soit demandé avant sept jours, s'il ne vous fâche.

– Sire, puisque ainsi vous convient, je le souffrirai, dit la reine, pour ne mériter votre haine. C'eût été la première chose que je vous eusse demandée, si vous ne l'eussiez défendu, que de connaître votre nom.

Gauvain descendit de la tourelle et les valets s'empressèrent à lui rendre ses armes pour garantir son corps. Ils ont fait sortir son cheval de l'écurie, et il y monte tout armé. Il s'en est allé jusqu'au port, accompagné du nautonier. Ils ont débarqué tous les deux. Les rameurs quittent cette rive, et rament pour que l'autre arrive.

Et messire Gauvain débarque.

Alors, l'autre chevalier dit à sa terrible compagne :

– Amie, connaissez-vous ce chevalier qui vient sur nous avec ses armes?

Et la demoiselle dit :

– Non. Mais je sais bien que c'est celui que j'ai amené jusqu'ici.

Et il répond :

– Que Dieu me garde ! Je ne cherche d'autre que lui ! J'ai eu grand-peur qu'il ne m'ait échappé : aucun chevalier né de mère ne passe les ports de Galvoie s'il se trouve que je le voie, et qu'à ma main je le rencontre ! Pour qu'il puisse ailleurs se vanter d'être venu dans mon pays. Celui-ci sera pris et tenu puisque Dieu me le donne.

Sur ce, le chevalier s'élance, sans aucun défi ni menace. Il pique son cheval, étreint son bouclier.

Messire Gauvain arrive sur lui : il le frappe, il le blesse durement au flanc et au bras. Pourtant, il n'est pas à la mort car le haubert a si bien résisté que le fer n'est entré qu'un peu de la longueur d'un doigt.

Il est tombé à terre, puis il s'est relevé, et il a vu couler son sang par-dessus son haubert, de son bras et de son côté. Il attaque pourtant l'épée haute, mais en peu de temps s'est lassé, si bien qu'il ne pouvait tenir et il dut se rendre à merci.

Sire Gauvain prend son serment et il le donne au nautonier qui attendait.

Or la mauvaise femme était descendue de son palefroi. Sire Gauvain s'approche et la salue, disant :

– Remontez, belle amie ! Je ne vous laisserai pas ici, mais je vous emmène avec moi sur l'autre rive où je passerai.

– Ah ! ah ! fait-elle ! Comme vous êtes fier, chevalier ! Vous auriez perdu la bataille si mon ami n'eût été affaibli par ses vieilles blessures. Vous tairiez vos sottises et vous seriez fort peu bavard, et plus honteux qu'échec et mat! Or, vous l'admettrez comme moi : croyez-vous valoir mieux que lui parce que vous l'avez abattu? Pourtant, vous avez souvent vu un plus faible abattre un plus fort. Si vous vouliez quitter ce lieu et vous en venir avec moi sous cet arbre; et si vous faisiez la même chose que l'ami que vous avez fait embarquer (il faisait pour moi à mon gré), alors, vrai, je témoignerai que vous valez autant que lui, et ne vous tiendrai plus pour vil.

– Pour mériter ce témoignage, pucelle, je n'arrêterai pas que je ne fasse votre volonté.

Et elle dit :

– A Dieu ne plaise que je vous en voie revenir!

Ils se mettent donc en route, elle devant et lui après.

Les demoiselle et les dames du palais se tirent les cheveux, se les arrachent, se déchirent et elles pleurent :

– Hélas, pauvrettes! Hélas, pourquoi donc vivons-nous, quand nous voyons Notre Seigneur s'en aller à mort et malheur! La mauvaise femme le conduit et l'entraîne, la méprisable, là d'où nul vaillant ne revient! Hélas! sommes-nous malheureuses, après avoir eu tant d'honneur! Car Dieu nous avait envoyé l'homme de tous biens à qui rien ne manquait, de hardiesse ni de courtoisie!

Ainsi elles se lamentaient en voyant leur seigneur partir avec la créature.

Tous les deux arrivent sous l'arbre, et quand ils y sont arrivés, messire Gauvain lui parle :

– Belle, à présent, dites-moi dont si je puis être

dégagé, ou si je dois plus faire encore, afin d'obtenir votre grâce ? Je le ferai si je le peux.

Elle lui répond alors :

– Voyez-vous là ce gué profond dont les rives sont escarpées ? Mon ami le passait souvent. Quand je le voulais, il m'allait cueillir ces fleurs que vous voyez parmi ces arbres, dans ces prés.

– Comment y passait-il, ma belle ? Je ne vois pas où est ce gué. L'eau est profonde, je le crains, et la falaise haute partout, si bien qu'on n'y peut pas descendre.

– Vous n'oseriez pas vous y mettre, lui répond-elle, je le sais. Jamais certes, je ne pensai que vous auriez assez de cœur pour en oser la tentative. Ici est le Gué Périlleux, que nul s'il n'est trop téméraire, n'ose essayer pour nulle affaire !

Gauvain mène son cheval au bord de la falaise ; il voit l'eau profonde courir, et l'autre rive haute et abrupte. Mais la rivière est très étroite.

Quand Gauvain s'en est rendu compte, il a pensé que son cheval a sauté des fossés plus larges. Il sait avoir entendu dire par plusieurs personnes que celui qui saurait passer l'eau profonde du Gué Périlleux aurait le prix sur tout le monde.

Alors, il s'éloigne de l'eau, puis y revient au grand galop pour sauter outre, mais il manque ! Il a mal engagé le saut, et il tombe au milieu du gué !

Or son cheval a tant nagé, qu'il prend terre des quatre pieds, et qu'il s'efforce pour sauter. Il s'élance si bien qu'il saute sur la rive pourtant très haute.

Arrivé là-haut sur la rive, le cheval se tient immobile, incapable de remuer. Monseigneur Gauvain met pied à terre et voit son cheval épuisé. Il le débarrasse de sa selle qu'il retourne pour l'essuyer. Il enlève la couverture pour assécher l'eau des côtés, et sur les jambes et le dos. Puis il le ressèle et remonte, et il s'en va le petit pas. Là il rencontre un chevalier seul qui chassait à l'épervier, et près de lui dans un verger, il y avait deux petits chiens à oiseaux. Ce chevalier était plus beau que la bouche ne pourrait dire.

Messire Gauvain l'aborde et lui dit :

– Beau sire, Dieu qui vous fit si beau parmi les créatures, vous donne joie et belle aventure !

L'autre de répondre aussitôt :

– Toi, tu es bon, vaillant et beau. Mais dis-moi, s'il ne te déplaît, comment as-tu laissé toute seule cette méchante femme qui était avec toi ? Et où est donc son compagnon ?

– Sire, dit-il, un chevalier qui porte un écu en quartiers l'accompagnait quand je les vis.

– Et qu'en fis-tu ?

– Je l'outrai d'armes !

– Qu'est-il devenu ?

– Je l'ai donné au nautonier qui disait qu'il devait l'avoir.

– Certes, mon frère, il a dit vrai. Cette femme fut mon amie, quoiqu'elle ne le voulût pas. Jamais elle ne daigna m'aimer, ni me dire son ami. Je ne l'embrassai jamais que par force, ni ne lui donnai de baiser. Jamais je n'en fis mon plaisir, mais je l'aimais malgré elle. Je l'enlevai à son amant, avec qui elle espérait vivre, et je le tuai, puis je l'ai prise. J'ai mis ma peine à la servir, mais ce fut vainement car elle s'enfuit au plus tôt qu'elle en eut trouvé l'occasion. Elle fit alors son ami de celui que tu viens d'abattre. Il n'est pas chevalier pour rire, car il est vaillant, que Dieu m'aide! Pourtant, il ne l'est pas assez pour oser venir où il pourrait me rencontrer. Ami, tu viens de faire une prouesse qu'aucun chevalier n'osa faire. Puisque tu l'as osée, tu seras prisé et loué par le monde, comme tout courage l'a mérité. C'est montrer une belle hardiesse que sauter le Gué Périlleux, car sache bien véritablement que nul chevalier n'en sortit.

– Donc, sire, elle m'aurait menti la demoiselle qui me dit, et qui vraiment me le fit croire, que souvent, de jour, son ami le sautait par amour pour elle.

– Elle t'a dit cela, la perfide? Je voudrais qu'elle s'y noyât! Pour t'avoir fait un tel mensonge, elle est pleine de diablerie. Elle te hait, c'est évident, et pensait que tu te noierais dans cette eau rapide et profonde, la diablesse que Dieu confonde! Ami, accorde-moi ta foi, et engageons-nous toi et moi: quoi que tu me demanderas, pour ma joie ou pour mon chagrin, je ne t'en cacherai rien, si je connais la vérité. Et toi aussi, tu me diras, et pour rien ne me mentiras, si tu connais la vérité.

Tous deux ont pris l'engagement, et messire Gauvain commence à demander premièrement:

– Sire, quelle est la cité que j'aperçois? Quel est son nom? A qui est-elle?

– Ami, dit-il, de la cité je te dirai la vérité: elle est si sûrement à moi qu'il n'est personne à qui j'en doive rien. Je n'en tiens rien que de Dieu, et son nom est Orqueneselle.

– Et vous, comment?

– Guiromelan.

– Sire! Vous êtes sage et très vaillant. Très souvent je l'ai entendu dire : vous êtes le seigneur d'un très grand domaine. Comment s'appelle la demoiselle dont on n'entend nul compliment, comme vous en témoignez vous-même?

– J'en puis bien témoigner, dit-il, car elle est redoutable, tant elle est méchante et arrogante. On l'appelle l'Orgueilleuse de Nogres où elle est née. Elle vint ici toute enfant.

– Et comment se nomme son ami qui est allé de gré ou non dans la prison du nautonier?

– Ami, sachez de lui qu'il est excellent chevalier et que son nom est l'Orgueilleux du Passage à l'Étroite Voie; il garde l'abord de Galvoie.

– Et quel est le nom du château, si bien bâti, si haut et beau, outre rivière d'où je viens, et où, hier soir je mangeai et je bus?

Guiromelan à ces paroles se détourne comme en colère et va comme pour s'en aller. Gauvain cependant le rappelle :

– Sire! Sire, répondez-moi! Rappelez-vous votre promesse!

Sire Guiromalen s'arrête et le regarde de travers, disant :

– L'heure où je t'ai parlé et où je me suis engagé soit la mauvaise et la maudite! Va-t'en! Je te rends ta promesse et je reprends la mienne! Je voulais des nouvelles des pays outre la rivière, mais tu en sais autant que de la lune et de ce château, j'en suis sûr!

– Sire, dit Gauvain, j'y fus cette nuit. J'ai couché au Lit de la Merveille, à quoi nul lit ne s'appareille, et que nul semblable ne vit.

– Par Dieu, dit l'autre, je m'étonne des nouvelles que tu me donnes! J'ai contentement et plaisir à t'écouter si bien mentir! J'en aurais autant à entendre un conteur de fables que toi. Je vois que tu n'es qu'un jongleur alors que je te croyais être un chevalier plein de prouesses. Cependant, pour rire, apprends-moi quelle fut là-bas ta vaillance, et tout au moins ce que tu vis.

Et messire Gauvain lui dit :

– Ne croyez pas que je vous mente. Sire, quand je m'assis sur le lit, il se fait soudain un grand bruit. Les cordes du châlit crièrent, et les clochettes sonnèrent. Lors, les fenêtres qui étaient closes s'ouvrirent, et des flèches et des carreaux d'arbalète me frappèrent sur mon bouclier. Ceci sont les griffes restées d'un grand lion féroce qui avait une grosse crinière. Il était resté enchaîné longtemps dans un souterrain voûté, et il me fut adressé par un vilain qui le délia. Il s'élança sur moi si fort qu'il enfonça ses ongles dans mon bouclier, si profond qu'ils y sont restés. Si vous n'en croyez que ce qu'il en paraît, voyez encore ici ces griffes! Pour sa tête, merci à Dieu! je la tranchai avec les pattes. Que dites-vous de ces preuves-là?

Guiromelan en entendant ces mots, sauta à terre vivement; il s'y agenouilla, joignit ses mains et pria messire Gauvain de lui pardonner sa bévue. Gauvain lui dit :

– Soyez-en quitte! Mais remontez!

Guiromelan remonte, mais de sa sottise a grand-honte. Il dit :

– Sire, que Dieu me garde! Je ne croyais pas qu'il pût vivre, ni près ni loin, d'aucune part, un chevalier qui méritât l'honneur qui vous est advenu. Mais dites-moi si vous avez vu la reine aux cheveux blancs, et si vous lui avez demandé qui elle est et d'où elle vient ?

– Cette idée ne m'est pas venue, mais je la vis et lui parlai.

– Et bien moi, je te le dirai ! C'est la mère du roi Arthur.

– Foi que je dois à Dieu Puissant, le roi Arthur, à mon avis, n'a plus, depuis longtemps, sa mère. Il a bien soixante ans passés, à ce que je crois, et davantage.

– Elle est sa mère, vraiment, sire. Quand Uterpandragon, son père, fut enterré, la reine Ygerne vint ici, en apportant tout son trésor. Elle bâtit ce château sur cette riche terre, et le palais que je vous ai entendu dire, vous vîtes, je le suppose, l'autre reine, l'autre dame, la grande, la belle, qui fut femme du roi Loth ? Et mère de celui (qu'en chemin de malheur il aille !) qu'on appelle Gauvain...

– Gauvain, beau sire, je le connais bien ! J'ose dire que ce Gauvain n'a plus sa mère depuis vingt ans passés au moins.

– Pourtant, sire, n'en doutez pas ! Près de sa mère elle resta, étant chargée de vif enfant. Et c'est la très belle, la grande demoiselle qui est m'amie et sœur (je ne le cache pas) de ce Gauvain que Dieu veuille accabler de honte ! Celui-ci, vraiment, il ne sauverait pas sa tête, si je le tenais comme je te vois devant moi ! Mais je lui arracherais le cœur hors de son corps avec les mains, tant je le hais !

– Vous n'aimez pas comme je fais, dit messire Gauvain. Sur mon âme, si j'aimais demoiselle ou

199

dame, pour son amour j'accolerais ses parents et les servirais.

– Je sais que vous avez raison, mais quand je pense à ce Gauvain dont le père tua le mien, je ne peux lui vouloir du bien. Et lui-même, de ses mains, tua l'un de mes cousins germains, un chevalier vaillant et preux. Depuis, je cherche l'occasion de le venger comme je veux. Or, je vous demande en service, quand vous irez dans ce château, que vous emportiez cet anneau pour le donner à mon amie. Vous le lui donnerez de ma part, en lui disant que je me fie et crois en son amour. Je sais qu'elle aimerait mieux que son frère meure de mort amère, plutôt que de me voir blessé au plus petit doigt de mon pied. Vous la saluerez donc et lui donnerez cet anneau de la part de son ami.

Gauvain a passé l'anneau à son petit doigt. Et il dit :

– Sire, foi que je vous dois, votre amie est sage et courtoise, elle est de très haute famille, et bonne et avenante et belle si elle envisage l'affaire, telle que vous me l'avez dite.

Guiromelan lui dit :

– Vous me ferez grande bonté je vous l'assure, si vous offrez cet anneau en présent de ma part à mon amie très chère, car je l'aime beaucoup. Je vous en récompenserai en vous disant, comme vous me l'avez demandé, le nom de cette ville forte qui est à moi. Elle s'appelle la Roche Canguin. On y vend et l'on y achète de riches draps rouges et verts qu'on y tisse en bel écarlate. Je vous ai répondu à toutes vos questions sans en avoir menti d'un mot, ainsi qu'il était convenu. Voulez-vous savoir davantage ?

– Non, messire, et je vous demande congé.

– Sire, votre nom, s'il vous plaît, avant de vous laisser partir.

Alors Gauvain lui dit :

– Sire, que le Seigneur Dieu m'aide! Je ne vous cacherai pas mon nom. Je suis celui que vous haïssez tant. Je suis Gauvain.

– Es-tu Gauvain?

– Vraiment, le neveu du roi Arthur.

– Tu es, par ma foi, trop hardi, ou trop fat de me dire ton nom quand tu te sais haï à mort! Or, tu me vois embarrassé de n'avoir mon heaume lacé, et mon écu pendu au col. Si j'étais armé comme toi, sache bien que je te trancherais la tête et que rien ne m'en empêcherait. Si tu osais m'attendre, j'irais chercher mes armes et je reviendrais te combattre. J'amènerais trois ou quatre témoins pour regarder notre bataille. Si tu veux qu'il en aille autrement, nous attendrons jusqu'à sept jours, et le septième jour nous viendrons ici avec nos armes. Tu y auras mandé le roi et la reine, et toute la cour, et moi, j'aurai la compagnie de tout mon royaume assemblé. Notre bataille ne sera pas cachée et tous ceux qui le voudront la verront. Quand se battent tels prudhommes, comme l'on dit que nous le sommes, on ne se bat pas à la dérobée, mais au contraire on y invite des dames et des chevaliers, pour que l'on connaisse le vaincu, et que tout le monde l'apprenne. Le victorieux en recevra mille fois plus d'honneurs que s'il était le seul témoin de sa victoire.

– Sire, dit messire Gauvain, je me contenterais de moins, s'il pouvait se faire et vous plût qu'il n'y eût pas de bataille. S'il est vrai que je vous ai nui, je l'amenderais volontiers par vos amis et par les miens, tant qu'il sera raison et bien.

L'autre dit :

– Je ne veux savoir quelle raison tu peux avoir pour ne pas oser me combattre. Je t'ai offert deux solutions entre lesquelles tu choisiras : ou que j'aille chercher mes armes, ou bien que tu fasses venir tous tes amis dans les sept jours. Cette Pente-côte est la cour du roi Arthur en Orcanie. J'en ai entendu la nouvelle, il n'y a pas deux jours encore. Le roi et toute l'assemblée pourront y trouver ton message. Envoies-y, tu feras sagement : délai d'un jour vaut cent sous d'or.

Gauvain répond :

– Que Dieu me sauve ! Là se trouve la cour, sans doute. Vous dites la vérité et je vous engage ma main que j'y enverrai dès demain, ou même avant que je m'endorme.

Guiromelan propose alors :

– Je vais te conduire au meilleur pont du monde. Rapide y est l'eau trop profonde. Rien qui vive n'y peut passer, ni sauter jusqu'à l'autre rive.

Et sire Gauvain lui répond :

– Je n'y cherche ni gué ni pont, quoi qu'il me puisse en advenir, car la demoiselle félone m'accuserait de couardise. Je vérifierai sa promesse et m'en irai tout droit vers elle.

Il pique, et le destrier saute ! Il franchit l'eau facilement et il n'y eut pas d'incident.

Quand elle le vit sauter vers elle, celle qui l'avait si fort malmené de paroles attache son cheval par les rênes à la branche d'un arbre, et elle accourt vers lui à pied, son humeur et son cœur changés.

Elle le salue humblement et lui dit qu'elle est accourue chercher son pardon en coupable, car elle souffre de sa conduite.

– Beau sire, lui dit-elle, écoute pourquoi j'ai été si mauvaise contre les chevaliers qui m'ont emmenée avec eux. Je te dirai, s'il ne t'ennuie, comment celui (Dieu le maudisse!) qui te parlait sur l'autre rive employa si mal son amour. Il m'aima et je le hais, car il me causa une grande douleur en tuant celui de qui j'étais l'amie, cela je ne veux le cacher. Ensuite, il me fit tant d'honneurs qu'il crut m'amener à l'aimer, mais il n'en profita de rien, et je m'enfuis loin de lui dès que j'en trouvai l'occasion. Alors, je pris pour compagnon celui que tu m'as abattu ce matin, mais il ne m'est pas plus qu'une baie d'alise! Quand la mort me sépara de mon premier ami, bien au contraire, on crut que j'en resterais folle! J'ai fait l'orgueilleuse en paroles, et si méchante et si hagarde, que je ne prenais jamais garde de qui j'allais provoquant. Moi je le faisais tout exprès en espérant trouver enfin un si coléreux qu'il éclate, et qu'il veuille m'en châtier, mais qu'il me rompe et mette en pièces, parce que je voulais mourir. Beau sire, faites-moi telle justice que nulle femme en ayant nouvelle ose outrager nul chevalier!

– Belle, dit Gauvain, que m'importe que vous soyez punie ou non? Qu'au Fils du Seigneur Dieu ne plaise que je vous cause aucun ennui! Mais remontez en selle, et sans attendre, nous irons à ce château fort. Le nautonier attend au port et il nous fera passer l'eau.

– Je ferai votre volonté quelle qu'elle soit, dit la demoiselle.

Alors elle s'est remise en selle sur son petit cheval à belle crinière, et ils vont jusqu'au nautonier qui leur fait passer la rivière sans en ressentir nulle peine.

Les dames qui les voient venir, et les jeunes filles qui avaient si fort pleuré de son départ, et tous les hommes du palais, dont les cœurs étaient accablés, ont soudain une telle joie que jamais joie ne fut si grande !

La reine s'est assise à l'attendre devant le palais. Elle fait former des rondes où les jeunes filles se prennent par la main joyeusement. Devant Gauvain, les jeux commencent, et l'on chante, carole et danse, et il entre au milieu des gens. Les dames et les demoiselles comme les deux reines l'accolent, et l'on parle et l'on rit beaucoup. Puis on le désarme à grande fête, jambes et bras, poitrine et tête.

On fait un chaleureux accueil à celle qu'il a amenée, et tous s'empressent à la servir. (C'est égard pour lui, non pour elle.)

Tout le monde rentre au palais et s'y installe.

Or, messire Gauvain a pris à part sa sœur et il s'assied auprès d'elle sur le Lit de la Merveille, puis il lui parle dans l'oreille :

— Demoiselle, je vous apporte de l'autre rive un anneau d'or où verdoie une belle émeraude. Le chevalier qui vous l'envoie vous salue par amour, disant que vous êtes son amie.

— Sire, répond-elle, je le crois, mais si je l'aime c'est de loin. Nous ne nous sommes jamais vus, sinon à travers la rivière, mais il m'a, je l'en remercie, donné son amour dès longtemps. Il ne vient jamais jusqu'ici, mais il m'a priée par messages, et si souvent que je lui ai donné mon amour. Je ne veux pas vous en mentir, mais je ne suis pas son amie au-delà.

– Ah! belle! Il s'est pourtant vanté que vous aimeriez mieux que votre frère Gauvain fût mort, qui est votre frère germain, plutôt qu'il eût mal à l'orteil.

– Vraiment, sire! Je suis surprise qu'il vous ait dit telle sottise. Par Dieu, je ne pouvais pas croire qu'il fût aussi peu sage, et je le trouve mal avisé de me le faire savoir! Hélas! Mon frère ne sait même pas que j'existe. Il ne me vit jamais. Guiromelan a mal parlé. Par mon âme, je ne voudrais pas plus sa peine que la mienne!

Pendant qu'ils conversaient ainsi que les dames attendaient, la vieille reine disait à sa fille assise auprès d'elle :

– Ma belle fille, que pensez-vous de ce seigneur qui est auprès de votre fille, ma nièce? Il lui parle depuis longtemps. Je ne sais pas de quoi, mais cela ne me déplaît pas. Il n'est pas raison de rien craindre car il est de grande hautesse, et il a le droit de s'adresser à la plus belle et la plus sage qui soit dans ce palais. Plût à Dieu qu'il l'épouse et qu'elle lui plaise comme Lavine plut à Enée.

– Dame! répondait l'autre reine, Dieu leur donne d'y mettre leurs cœurs, qu'ils soient comme un frère et sa sœur, et qu'ils s'aiment tant, elle et lui, qu'ils ne soient qu'une chair à deux!

La dame entend dans sa prière qu'il l'aime et qu'il la prenne à femme, car elle ne connaît pas son fils. Ils seront comme frère et sœur sans autre amour que fraternel. Plus tard ils sauront tous les deux qu'ils sont frère et sœur. Et la mère en aura grande joie, mais autrement qu'elle pensait.

Quand messire Gauvain eut cessé de parler à sa sœur jolie, il la quitta et appela un garçon qu'il vit sur sa droite et qui lui parut plus vif, plus vaillant, plus serviable, plus sage et plus habile que les autres garçons de la salle.

Il se retira avec lui dans une chambre, et il lui dit quand ils y furent :

– Garçon, je te crois vaillant, sagace et avisé. Je vais te donner un secret, mais songe à bien le cacher si tu veux en tirer profit, et je t'enverrai quelque part où tu seras reçu avec grande joie.

– Sire, j'aimerais mieux m'attacher la langue par-dessous la goule, plutôt qu'une seule parole que vous voulez secrète s'envole de ma bouche !

– Frère, tu iras donc à mon seigneur le roi Arthur. Mon nom est Gauvain et je suis son neveu. La route n'est ni longue ni dangereuse. Le roi a établi sa cour pour la Pentecôte dans la ville d'Orcanie. Ce que le voyage te coûte jusque-là, tu me le diras. Quand tu viendras devant le roi, tu le trouveras en colère, mais le bonheur lui reviendra quand tu l'auras salué de ma part, ainsi que tous ceux qui en entendront la nouvelle. Tu diras au roi, sur ma foi, qu'il est le seigneur, comme je suis son homme ; que je le prie d'être au cinquième jour de la fête sous cette tour, logé dans la prairie du bas, malgré toute occasion contraire. Et qu'il ait telle compagnie de hautes gens et de menus, comme à sa cour seront venus. J'ai entrepris une bataille contre un chevalier qui ne m'aime guère, et pas plus que je ne l'aime. C'est Guiromelan, qui le hait, sans mentir, de mortelle haine. Après, tu diras à la reine qu'elle vienne aussi pour la foi qui doit être entre elle et moi. Elle est ma reine et mon amie. Dès que tu lui auras parlé, elle laissera tout pour m'amener, comme je le lui demande, toutes les dames et les demoiselles qui seront alors à la cour. Pourtant j'ai peur que tu n'aies pas un tel cheval qu'il puisse te porter là-bas !

Mais le garçon répond qu'il a un bon cheval très fort qu'il montera comme le sien, et lui dit que tout ira bien.

Le garçon, sur le champ, le mène jusqu'aux écuries d'où il fait sortir deux chevaux de chasse, forts et reposés, dont l'un était tout préparé pour chevaucher et voyager car il était ferré de neuf. Et n'y manquait ni frein ni selle.

– Par ma foi, fit sire Gauvain, mon ami, tu es bien équipé ! Or va ! Que le Prince des rois te donne un bon voyage, en suivant le meilleur chemin !

Ainsi envoie-t-il le garçon qu'il conduit jusqu'à la rivière où il demande au nautonier de le faire traverser.

Le nautonier commande ses rameurs et le fait passer sans fatigue. Le jeune homme est sur l'autre rive. Il va vers la cité d'Orcanie par le chemin le plus rapide, car il peut voyager par le monde celui qui sait demander sa route.

Messire Gauvain s'en retourne dans son palais où il séjourne, où on le sert à grande joie, car tous les habitants le chérissent.

La reine fait chauffer les étuves ; on prépare bien

cinq cents cuves. Elle y fait entrer les garçons pour
se baigner et s'étuver. Puis on leur a taillé des robes
à leur mesure qu'ils mettront en sortant du bain.
Leurs étoffes étaient tissées d'or, les doublures
étaient d'hermine.

Jusqu'au matin, les écuyers au moutier veillèrent
debout sans s'agenouiller. Dès l'aurore, messire
Gauvain chaussa chacun d'eux, de ses mains, l'éperon droit, leur ceignit l'épée et puis leur donna l'ac-
colade, se faisant ainsi la compagnie empressée de
cinq cents chevaliers nouveaux.

Le message tant est allé, qu'il est venu dans la
cité d'Orcanie où le roi tenait sa cour comme il lui
convenait.

Les éclopés et les mendiants qui le regardaient
chevaucher, se disaient :

— Voilà qui vient à grand besoin ! Je crois qu'il
apporte de loin quelque message pour la cour ! Le
roi sera muet et sourd quelque chose qu'il puisse
dire, car il est plein de chagrin et de colère ! Et qui
pourra le conseiller, quand on saura ce que le messager lui mande ?

— Eh quoi, serait-ce à nous de parler des conseils
du roi ? Alors que nous sommes en effroi, tout
apeurés et déconfits car nous avons perdu celui qui,
pour Dieu, nous soutenait tous, par amour et par
charité.

Ainsi, dans toute la cité regrettaient monseigneur
Gauvain les pauvres gens qui l'aimaient tant !

Le messager s'en va plus loin, et si longtemps
qu'il trouve le roi siégeant dans son palais. Près de
lui, cents comtes palatins, cent rois plus cent deux
sont assis.

Le roi était morne et pensif; il voit sa grande baronnie, mais il ne voit pas son neveu, et il se pâme de détresse. Ceux qui l'atteignent les premiers le relèvent sans paresse, car chacun veut le soutenir.

Ma dame Lore qui était dans une loge et qui voyait le deuil qu'on faisait dans la salle, descend bien vite de sa loge trouver la reine, toute folle et toute éperdue. Quand la reine la voit venir, elle lui demande ce qu'elle a.

C'est sur ces mots que se termine l'œuvre de Chrétien de Troyes, interrompue sans doute par la mort de l'écrivain.

Résumé des continuations

*Plusieurs « continuateurs » ont voulu donner une
suite aux aventures de Perceval et de Gauvain, brusquement interrompues à la fin du roman de Chrétien de Troyes. Ces « continuations » sont toutes
assez différentes, et moins intéressantes que le
roman de Chrétien ; elles font se succéder diverses
aventures des deux héros. Pour Perceval, elles s'ef-
forcent de terminer à la fois l'épisode de Blanchefleur – il faut que Perceval revienne à Beaurepaire
comme il l'a promis, et épouse Blanchefleur – et
l'épisode du Graal : il faut que Perceval retourne au
château du Graal, pose enfin les bonnes questions,
mette fin aux aventures et succède à son oncle le Roi
Pêcheur ; le problème est de concilier les deux : le
héros du Graal devant être chaste et pur, comment
lui faire alors retrouver sa bien-aimée ? Certains
auteurs ont trouvé une solution.*

*Pour donner aux lecteurs une idée de ces suites du
Perceval de Chrétien, nous résumons ici plusieurs
épisodes empruntés à la première et à la seconde
Continuation, textes anonymes de la fin du
XIIe siècle ou du début du XIIIe, et à la Continuation*

de Gerbert de Montreuil, un peu plus tardive. On y voit l'influence de Robert de Boron qui, dès la fin du XIIe siècle, avait fait du Graal, devenu le « saint Graal », une relique chrétienne (voir la préface).

Fin de l'aventure de Gauvain au château des Reines

Le messager qui était parvenu à la cour d'Arthur, où tous s'inquiétaient pour Gauvain, provoque la joie générale en donnant de ses nouvelles. Toute la cour se met en route sans tarder pour assister Gauvain dans le combat qui doit avoir lieu contre Guiromelan, et parvient deux jours après au château merveilleux. Entre-temps Gauvain a révélé son nom aux reines (qui sont sa mère et sa grand-mère, Ygerne, mère du roi Arthur, que l'on croyait toutes les deux mortes depuis bien longtemps). Seule sa sœur, la belle Clarissan, s'afflige : elle est heureuse d'avoir retrouvé son frère mais elle aime Guiromelan qu'il doit combattre.

Le combat a enfin lieu, en présence d'Arthur et de ses chevaliers, de la reine Guenièvre et de toutes ses dames et demoiselles, et de tous les habitants du château des Reines. Terrible, il est finalement interrompu par l'intervention de Clarissan, en larmes, qui supplie le roi Arthur puis son frère Gauvain. Les deux chevaliers finissent par accepter de se réconcilier, et Gauvain accorde sa sœur à Guiromelan (ou bien, selon une autre version, Gauvain refuse et c'est le roi qui les marie malgré lui).

Pendant les fêtes de leurs noces, seul Perceval est malheureux, car il désire à la fois retrouver Blanchefleur et poursuivre sa quête du Graal. Il se met en route aussitôt après.

Nous ne résumerons maintenant que les aventures de Perceval. Les Continuations racontent aussi celles de Gauvain, ou d'autres chevaliers rencontrés en chemin.

Premier retour à Beaurepaire

Perceval parvient à une cité magnifique au milieu d'une campagne très riche, où il a de la peine à reconnaître la « terre gaste » et la cité en ruines de jadis. C'est Beaurepaire – et il finit par reconnaître Blanchefleur en la belle jeune fille qui l'accueille et qui l'a reconnu. Comme la première fois, elle vient le trouver pendant la nuit. Il lui explique qu'il ne pourra l'épouser avant d'avoir achevé sa quête ; après trois jours de bonheur, il repart en laissant Blanchefleur accablée et toute la population de Beaurepaire en larmes, mais avec la promesse qu'il reviendra dès qu'il le pourra.

L'aventure du Mont Douloureux

Un jour, alors qu'il poursuit sa quête, Perceval parvient aux abords du Mont Douloureux. Sur ce mont se trouve une colonne magique, entourée de quinze croix, dans laquelle l'enchanteur Merlin a enfermé un démon. Tout chevalier qui tente l'aventure doit attacher son cheval au pilier et s'écrier : « Qui est ici ? » Mais s'il n'est pas le meilleur chevalier du monde, il perd la raison. Avant d'arriver jusqu'au mont, Perceval rencontre deux chevaliers d'Arthur qui sont ainsi devenus fous : ils se battent presque jusqu'à s'entretuer après avoir pendu par les cheveux à un arbre les deux demoiselles qui étaient leurs amies. Perceval les soigne grâce à un talisman donné par l'ermite.

Il rencontre ensuite un chevalier enfermé dans un tombeau, qu'il délivre, mais qui veut l'enfermer à sa place par traîtrise. Il finit cependant par délivrer Perceval par peur de ses pouvoirs magiques, lorsque son cheval refuse de l'emmener.

Perceval délivre un autre chevalier pendu par un pied à un arbre et presque mort : il a été victime de Keu et de trois autres chevaliers, frappés de folie après leur passage au Mont Douloureux.

Le récit raconte longuement les aventures de ce chevalier qui se venge de Keu, et d'autres aventures de Gauvain.

Toujours en route vers le Mont Douloureux, Perceval voit un étrange prodige : un enfant de cinq ans à peine, assis dans un arbre, ne répond pas à ses questions, mais lui annonce qu'une bonne nouvelle l'attend au Mont Douloureux. Puis il monte de plus en plus haut dans l'arbre, jusqu'à disparaître.

Parvenu enfin à la colonne magique, Perceval réussit l'exploit impossible : il attache son cheval à un anneau d'argent sur la colonne ; une merveilleuse jeune fille apparaît et le salue comme le meilleur chevalier du monde. Elle est la Demoiselle du Grand Puits du Mont Douloureux, fille de Merlin, et lui raconte toute l'histoire de cette colonne magique, faite par Merlin peu après la naissance

214

d'Arthur, à la demande du roi Uter, père d'Arthur, qui voulait savoir comment on pourrait reconnaître le meilleur chevalier du monde, dont son fils aurait besoin. La demoiselle lui indique le chemin de la demeure du Roi Pêcheur.

Le retour au château du Graal

Après une forte tempête, puis la vision d'un arbre illuminé par plus de dix mille chandelles qui disparaît lorsqu'il approche, Perceval parvient à une mystérieuse chapelle, dans laquelle il voit le cadavre d'un chevalier mort. Des phénomènes fantastiques se produisent : clarté soudaine, fracas, puis une énorme main noire surgit derrière l'autel et éteint le cierge. Perceval ne s'effraie pas et sort. Après une nuit dans la forêt il rencontre des gens du Roi Pêcheur ; une très belle demoiselle lui apprend que les prodiges de la veille font partie du « mystère du Saint-Graal et de la Lance ». Il parvient enfin au château du Graal et raconte au roi ses aventures en lui posant des questions. Lorsque passe devant eux le cortège du Graal, Perceval insiste pour savoir la vérité au sujet du « Saint Vase », de la « Sainte Lance » et de l'épée brisée. Le Roi Pêcheur lui explique d'abord l'apparition de l'enfant dans l'arbre : c'était un signe destiné à le pousser à regarder vers le ciel, qu'il avait trop longtemps négligé. L'épée brisée ne pourra être ressoudée que par un chevalier parfait. Perceval y parvient, et le roi lui fait fête, cependant que Perceval reste d'une humilité qui étonne tout le monde. Au second passage du Graal, le roi lui explique tout : la Lance est celle de Longin, le « chevalier » romain qui a percé le flanc du Christ en croix après sa mort ; le Graal est le Vase où a été recueilli le sang du Christ ; il a été apporté ici par Joseph d'Arimathie, dont le Roi Pêcheur est le descendant ; la porteuse du Graal est sa propre fille, et la porteuse du tailloir est la fille de son frère. L'épée brisée est celle avec laquelle ce frère, Gondesert, a été tué par un traître, Pertinax, seigneur de la Tour Rouge ; le Roi Pêcheur s'est ensuite blessé aux jambes, en se frappant lui-même avec l'épée, de colère et de chagrin. Il ne sera guéri que si la mort de son frère est vengée. Perceval s'engage à le faire.

Perceval continue à poser des questions sans se lasser ; il apprend que l'arbre illuminé était l'arbre de sorcellerie, dont il a détruit les mensonges. La chapelle est la proie d'un maléfice démoniaque depuis la mort de la reine Brangemore, assassinée par son fils impie ; le roi lui enseigne la façon dont on pourrait détruire le maléfice, mais il ajoute que c'est une tâche impossible.

Perceval part le lendemain à la recherche de Pertinax. Suivent d'autres aventures de Perceval, puis de Gauvain jusqu'au moment où Perceval trouve à nouveau sur son chemin la chapelle mystérieuse.

S'étant réfugié dans une chapelle lors d'un violent orage, il s'aperçoit que c'est celle qu'il cherchait. Il attaque la gigantesque main noire ; un démon lui apparaît ; il l'assaille sans relâche tout en faisant des signes de croix et finit par tomber sans connaissance après un violent coup de tonnerre. Lorsqu'il se réveille, il fait ce que lui avait dit le

Roi Pêcheur : il étend sur l'autel un voile qu'il trouve dans le tabernacle et asperge la chapelle d'eau bénite. Puis il s'endort. A son réveil, un très vieil homme barbu le salue comme le meilleur des trois mille chevaliers venus avant lui. Ils enterrent le mort. Avant de le quitter, Perceval lui promet de ne plus tuer.

Par deux fois Perceval est victime d'une illusion provoquée par le diable : il apparaît la première fois sous la forme d'un cheval noir qui l'entraîne de plus en plus vite, avant de disparaître lorsqu'il fait un signe de croix. La seconde fois il prend l'apparence de Blanchefleur, venue le rejoindre sur une barque et l'invitant dans son lit, puis elle disparaît de la même façon.

Perceval au secours de Blanchefleur

Une demoiselle étant venue l'appeler à l'aide, Perceval vient délivrer Blanchefleur d'Aridès d'Escavalon qui assaillait Beraurepaire. Tout comme Clamadeu et Anguingueron, le vaincu est envoyé au roi Arthur. Perceval refuse encore une fois de rester à Beaurepaire : il doit tenir sa promesse au Roi Pêcheur (de le venger de Pertinax), et se rendre à la cour d'Arthur à la Saint-Jean. Mais il sera toujours prêt à accourir à l'aide de Blanchefleur en cas de besoin.

Suivent diverses aventures. Le démon le tente encore une fois, sous la forme de la fille du Roi Pêcheur, mais il est mis en fuite par un signe de croix.

« Perceval va sa route. Le doute sur sa mission l'accable. Ce qu'il cherche n'est nulle part, et il ne le trouvera que s'il le cherche. Il se sent guetté par le diable. Pourtant il n'en serait pas accablé, s'il ne savait de l'autre nuit que c'est en lui qu'il le transporte. Il va... »

Perceval au secours de Gorneman de Gorhaut et de ses fils

Dans un pays saccagé, il rencontre quatre chevaliers qui transportent leur père très gravement blessé ; c'est Gorneman de Gorhaut, le prud'homme qui l'a fait chevalier, avec ses quatre fils. Il est victime d'une terrible aventure, qui durera jusqu'à la destruction complète du château et de ses habitants : chaque matin quarante chevaliers se présentent pour les combattre. Vaincus et tués à chaque fois par Gorneman et ses fils (tous les autres défenseurs du château sont morts), ils reviennent à nouveau le lendemain, frais et dispos. Perceval décide de l'aider par reconnaissance. S'il réussit il promet d'aller ensuite épouser Blanchefleur, Gorneman lui ayant dit que c'était peut-être à cause de sa promesse non tenue à l'égard de Blanchefleur que Dieu ne lui permettait pas d'achever sa quête.

Après un combat acharné et terrible, Perceval et les quatre fils sont vainqueurs. Perceval décide de rester sur place la nuit suivante pour voir ce qui se passera. Une vieille femme hideuse et terrifiante ressuscite les chevaliers morts à l'aide d'un onguent magique. Elle est effrayée en le voyant car elle le reconnaît et sait qu'il sera roi du Graal ; c'est elle

218

qui l'empêche de parvenir à son but. Après avoir hésité car il est indigne d'un chevalier de tuer une femme, il se décide à la tuer et doit combattre sept chevaliers qu'elle avait déjà ressuscités. Il soigne ses propres blessures grâce à l'onguent, ainsi que celles des fils de Gorneman, au château où il est accueilli dans la joie la plus grande. Il n'a qu'une hâte : retrouver Blanchefleur et l'épouser au plus vite.

Le mariage de Perceval et de Blanchefleur

Gorneman conduit Perceval chez sa nièce à Beaurepaire, et les noces sont célébrées sans plus tarder. La fête est somptueuse et leur bonheur est sans égal. Ils décident d'un commun accord de rester vierges pour s'aimer d'un amour plus pur ; une voix annonce cependant à Perveval qu'ils auront plus tard des descendants. Blanchefleur devient « le modèle des épouses » et Perceval est rendu « meilleur chrétien » par son mariage. Blanchefleur l'aime tant qu'elle accepte qu'il reparte dès le lendemain « au service du Saint-Graal ».

Suivent d'autres aventures de Perceval, ainsi que de Gauvain. A un moment Perceval se bat contre Hector, chevalier de la Table Ronde et demi-frère de Lancelot, sans qu'ils se soient reconnus. Presque morts, ils sont sauvés par le Graal apporté par un ange.

Perceval tue Pertinax et revient au château du Graal

Perceval parvient enfin au château de la Tour Rouge. Pertinax a tué cent quatre chevaliers qui avaient osé toucher à un bouclier suspendu à un arbre, et sur lequel sont représentées deux belles demoiselles. Perceval le renverse à terre. La lutte est féroce. Perceval obtient la victoire avec l'aide de Dieu et il finit, malgré sa répugnance, par tuer Pertinax dont il doit rapporter la tête, ainsi que le bouclier, au Roi Pêcheur.

Il lui faut maintenant retrouver le château du Graal, dont nul ne connaît le chemin. Il y arrive après une assez longue errance. Le roi est déjà guéri : il s'est senti mieux juste après la victoire de Perceval. Il lui fait fête, lui apprend qu'il est son oncle, le frère de sa mère, et veut le couronner immédiatement. Perceval n'acceptera de lui succéder qu'après sa mort. Il repart vers la cour d'Arthur, revêtu d'armes noires données par le Roi Pêcheur.

Perceval à la cour d'Arthur ; le Siège Périlleux

Perceval retrouve la cour d'Arthur à Carlion ; il est accueilli dans la joie, mais le sénéchal Keu ne lui ménage pas ses habituelles railleries. Malgré la prière du roi et les larmes de tous, il veut tenter l'épreuve du Siège Périlleux : sur ce siège resté vide à la Table Ronde, ne doit s'asseoir que le meilleur chevalier du monde, désigné par Dieu pour être le roi du Graal. Six chevaliers qui ont tenté l'épreuve avant lui ont été engloutis par la terre. Bien entendu Perceval réussit ; la terre s'entrouvre et laisse ressortir les six autres chevaliers, qui décrivent les tourments de l'Enfer dont ils ont été témoins. Perceval reste toujours humble au milieu de l'enthousiasme général.

Dernières aventures de Perceval

Perceval souhaite retourner à Beaurepaire mais ne veut pas céder trop vite à son désir. Dans un monastère, pendant la messe, il a la vision d'un roi alité et couvert de plaies, qui se redresse pour communier. Un moine lui raconte l'histoire du roi païen de la ville de Saras, Evalac, converti par Joseph d'Arimathie environ quarante ans après la mort du Christ, et appelé ensuite Mordrain. Il a été puni pour s'être approché trop près du Graal pendant que Joseph célébrait la messe : ses plaies ne guériront pas jusqu'à ce que vienne le chevalier qui doit le délivrer ; il attend depuis trois cents ans, nourri seulement par l'hostie. Perceval, qui est le chevalier attendu, comprend que ce personnage est le même que le père du Roi Pêcheur, lui aussi blessé et nourri seulement par l'hostie qu'on lui sert dans le Graal.

(Ce qui ne concorde pas avec le récit de Chrétien de Troyes : selon les explications données par l'ermite à Perceval à la fin du roman, le roi que l'on sert avec le Graal est le frère de l'ermite et de la mère de Perceval, qui est nourri ainsi depuis douze ans, et le Roi Pêcheur, qui est aussi « Mehaigné », blessé, est son fils, donc le cousin de Perceval.)

Dénouement : Perceval, roi du Graal

Perceval revient à la cour d'Arthur à la Pentecôte, et le roi fait mettre par écrit ses aventures. Une messagère vient annoncer la mort du Roi

Pêcheur, qui a désigné son neveu pour lui succéder, et elle invite Perceval à se rendre à Corbière, sa cité, pour s'y faire couronner. Il passe par le monastère où il ne voit plus le roi blessé, mais prend le Bouclier Blanc à la Croix Vermeille qui rend invincible. Selon certains, il va ensuite chercher Blanchefleur à Beaurepaire, qui se trouve soudain juste à côté de Corbière. Il guérit le roi blessé, lequel meurt dans ses bras après l'avoir couronné, selon la prédiction.

Après l'enterrement solennel des deux rois est célébrée la grande fête du couronnement de Perceval, en présence du roi Arthur et de sa cour. Lors du banquet, le cortège du Graal passe entre les tables, et elles se couvrent de mets succulents.

Perceval règne pendant sept ans, après quoi, Blanchefleur étant morte, il se retire dans un monastère avec le Graal, la Lance et le Tailloir. Il mène une vie très pieuse et, à sa mort, les objets merveilleux et sacrés sont emportés avec lui au Paradis.

Anne Paupert

FOLIO JUNIOR ÉDITION SPÉCIALE

Chrétien de Troyes

Perceval
ou
le roman du Graal

Supplément réalisé par
Christian Biet,
Jean-Paul Brighelli
et Christine Féret-Fleury

Illustrations de Gismonde Curiace

ALLEZ-VOUS JUSQU'AU BOUT DE VOS ENTREPRISES ?

Perceval et Gauvain vont jusqu'au bout de leur quête. Êtes-vous de ceux qui mènent à bien leurs projets ou bien avez-vous tendance à les abandonner en cours de route ? Pour le savoir, il faut répondre avec franchise à ces questions et vous reporter ensuite à la page des solutions.

1. *Votre meilleur ami vous propose d'aller au cinéma, mais vous avez un devoir à terminer :*
A. Vous déclinez l'invitation △
B. Vous vous promettez de veiller toute la nuit pour achever votre travail ❑
C. Vous cherchez déjà, en enfilant votre blouson, quelle excuse invoquer pour justifier votre retard ○

2. *De ces trois professions laquelle est, selon vous, la plus intéressante ?*
A. Animateur à la télévision ○
B. Homme politique △
C. Journaliste ❑

3. *Lequel de ces trois proverbes vous semble le moins judicieux ?*
A. « Pierre qui roule n'amasse pas mousse » △
B. « Chat échaudé craint l'eau froide » ○
C. « Un bon tiens vaut mieux que deux tu l'auras » ❑

4. *Un panneau : «Défense d'entrer» se trouve sur votre chemin :*
A. Vous tournez docilement les talons ○
B. Vous cherchez à connaître les raisons de cette interdiction ❑
C. Vous passez outre △

5. *Votre sport préféré est :*
A. Le ski de fond △
B. Le tir à l'arc ○
C. Le parapente ❑

6. *Un camarade vous a emprunté un livre et tarde à vous le rendre :*
A. Vous lui reprochez âprement sa négligence △
B. Vous lui rappelez à l'occasion qu'il a peut-être « oublié » quelque chose ! □
C. Vous n'osez pas le lui réclamer ○

7. *Votre devise est :*
A. « A l'impossible nul n'est tenu » ○
B. « Être fort, c'est construire ou détruire » △
C. « Patience et longueur de temps font plus que force ni que rage » □

8. *Chez vos amis, vous appréciez avant tout :*
A. La fantaisie ○
B. La volonté △
C. L'intelligence □

9. *Avez-vous déjà choisi la profession que vous exercerez plus tard ?*
A. Oui △
B. Vous hésitez encore □
C. Vous avez bien le temps d'y penser ! ○

10. *Quand une difficulté vous arrête dans votre travail scolaire :*
A. Vous vous obstinez jusqu'à ce que vous en veniez à bout △
B. Vous décidez d'attendre le corrigé □
C. Vous vous découragez tout de suite ○

11. *Comment choisissez-vous vos vêtements ?*
A. Vous vous conformez à la mode ○
B. Vous privilégiez la qualité et le confort □
C. Vous vous habillez selon vos goûts △

12. *D'un professeur, vous attendez :*
A. Qu'il vous donne envie de travailler ○
B. Qu'il soit passionné par la matière qu'il enseigne □
C. Qu'il connaisse son sujet, le reste vous regarde △

13. *Vous vous lancez dans une entreprise :*
A. Sur un coup de cœur △
B. Lorsque le succès est assuré ○
C. Après avoir soigneusement pesé le pour et le contre □

14. *Votre réussite en classe s'explique :*
A. Par la chance □
B. Par la persévérance △
C. La question ne se pose pas, hélas ! ○

15. *Une grève des transports est annoncée :*
A. Vous demandez à vos parents de vous déposer au collège en voiture □
B. Vous allez en cours, coûte que coûte △
C. Vous restez chez vous ○

Solutions page 253

1
AU FIL DU TEXTE

PREMIÈRE PARTIE (p. 19-113)

Vingt questions pour commencer

Perceval, le jeune Gallois naïf et plein d'ardeur, est devenu chevalier et le monde retentit de ses exploits. N'a-t-il pas combattu et défait les plus rudes jouteurs, lui qui naguère ignorait l'usage du bouclier et de la lance ? Vous saurez, en répondant aux questions suivantes, si votre lecture a été à la hauteur de son mérite.

1. *Le roman de Perceval est dédié à :*
A. Philippe de Champagne
B. Philippe de Flandre
C. Philippe d'Orléans

2. *Le récit commence :*
A. Au printemps
B. En été
C. En automne
D. En hiver

3. *Les chevaliers que le jeune homme rencontre cherchent :*
A. Trois chevaliers et cinq pucelles
B. Cinq chevaliers et trois pucelles
C. Trois chevaliers et trois pucelles

4. *En voyant le jeune homme en compagnie de chevaliers armés, les paysans craignent :*
A. Que leur vie ne soit menacée
B. Que leurs récoltes ne soient dévastées
C. Que le jeune homme ne devienne chevalier à son tour

5. *Le père du jeune Gallois est mort :*
A. Dans un combat
B. De vieillesse
C. En apprenant la mort de ses deux fils aînés

6. *Laquelle de ces recommandations de la mère de Perceval est inexacte ?*
A. Secourir les dames et les demoiselles
B. Demander le nom de ses compagnons
C. Secourir les orphelins
D. Parler aux prudhommes

7. *Un moutier est:*
A. Une église
B. Un château fort
C. Une tente richement décorée

8. *Le chevalier se venge de son amie outragée par Perceval en:*
A. La chassant
B. Ne prenant plus soin ni d'elle ni de son cheval
C. La laissant mourir de faim

9. *Le Chevalier Vermeil a menacé le roi Arthur de:*
A. S'allier à son pire ennemi
B. Déshonorer la reine
C. S'emparer de son royaume

10. *Le jeune homme veut prendre au Chevalier Vermeil:*
A. Ses vêtements
B. Ses armes
C. Sa coupe d'or

11. *Gorneman de Gorhaut conseille au jeune homme de ne pas:*
A. Jurer à tort et à travers
B. Se recommander sans cesse de sa mère
C. Adresser la parole aux gens qu'il ne connaît pas

12. *Plutôt que d'être livrée à Clamadeu, Blanchefleur préfère:*
A. Mettre fin à ses jours
B. S'enfuir dans la forêt
C. Se faire nonne

13. *Anguingueron redoute la colère de Blanchefleur, car:*
A. Il lui a volé ses terres
B. Il ne s'est pas conduit courtoisement avec elle
C. Il a tué son père

14. *Le jeune homme livre Anguingueron et Clamadeu:*
A. A Gorneman de Gorhaut
B. Au roi Arthur
C. A Blanchefleur

15. *Ce qui nuit à Keu, c'est:*
A. Sa laideur
B. Ses vantardises
C. Ses sarcasmes

16. *Le Graal est fait:*
A. De l'or le plus pur, serti de pierres précieuses
B. D'argent ciselé
C. De simple fer étamé

17. *En voyant le Graal, le jeune Gallois ne pose aucune question:*
A. Par crainte de se montrer indiscret
B. Pour obéir à son maître en chevalerie
C. Par indifférence

18. *Quel est le premier plat servi aux convives ?*
A. Un faisan rôti
B. Une hanche de cerf, bien poivrée et cuite dans sa graisse
C. De la pâte au gingembre d'Alexandrie

19. *Le Roi Pêcheur est ainsi nommé parce que :*
A. Il a commis beaucoup de péchés
B. Il aime pêcher
C. Son royaume est entouré de mers

20. *Le jeune homme découvre que son nom est Perceval le Gallois parce que la jeune femme du bois :*
A. A décidé de le nommer ainsi
B. Le lui a révélé
C. Le lui a demandé

Solutions page 253

Verbes et proverbes

Le roman de Perceval commence par un proverbe : « Qui sème peu récolte peu ». (p. 19)

1. *De la cause et de l'effet*

Les deux verbes *semer* et *récolter* sont dans un double rapport :
- de cause à effet : récolter est la conséquence de semer
- d'équivalence : avec la répétition des adverbes de quantité « peu »

Voici, dans le désordre une série de verbes :

arriver, casser, chercher, dépenser, dormir, frapper, gagner, risquer, sauter, se fatiguer, se reposer, se ruiner, tomber, travailler, trouver, voyager

A vous de les classer selon un rapport de cause à effet. Ensuite, vous pourrez inventer les proverbes qui vous conviennent en y adjoignant un des adverbes suivants (ou d'autres si vous préférez) qui indiquent la quantité ou la qualité :

beaucoup, courageusement, énormément, follement, gentiment, lentement, rapidement, rarement, rien, sérieusement, etc.

Bien entendu, rien ne vous empêche d'utiliser, pour le même proverbe, deux adverbes de sens opposés.

2. *Les proverbes par les proverbes*

Chrétien de Troyes n'est pas le seul à faire référence aux semailles et aux récoltes. Voici quelques proverbes :

A. « Comme tu auras semé, tu moissonneras »
B. « Qui sème le vent récolte la tempête »
C. « Qui partout sème, en aucun lieu ne récolte »
D. « L'un sème, l'autre récolte »
E. « L'on ne doit semer toute sa semence en un seul champ »

Pour en expliquer la signification, il vous suffira de choisir, dans la liste ci-dessous, le proverbe qui correspond à chacun d'eux.

1. « Qui trop embrasse mal étreint »
2. « Il ne faut pas mettre tous ses œufs dans le même panier »
3. « Comme on fait son lit on se couche »
4. « Qui souffle dans le feu, les étincelles lui sautent aux yeux »
5. « Le singe tire les marrons du feu avec la patte du chat »

Solutions page 253

« Chu de peur »

« Ce garçon est chu de peur que nous lui avons faite. » dit à ses compagnons le maître des chevaliers. (p. 22)

Selon vous, que signifie « Chu de peur » ?
- Mort de peur
- Tombé de peur
- Vert de peur
- Malade de peur

« Chu » renvoie à un mot qui n'est plus très employé mais qui n'en reste pas moins fort connu. Peut-être pourrez-vous le retrouver et, ainsi, indiquer ce que signifie cette expression.

Solutions page 254

Qu'est-ce qu'un valet ?

Le mot *valet* a de nombreuses acceptions. Parmi les six qui sont proposées ici, une est inexacte et une autre convient à Perceval. A vous de les découvrir.

1. Pièce de fer coudée utilisée en menuiserie
2. Domestique
3. Flatteur hypocrite et servile
4. Jeune garçon
5. Il sert à poser les vêtements
6. Pied de biche qui permet d'ouvrir les portes par effraction

Solutions page 254

La famille de Perceval

Le jeune héros ne fait guère attention à l'histoire de sa famille racontée par sa mère.
Vous êtes-vous montré plus attentif que lui ?
Dans ce cas vous pourrez sans difficulté reconstituer cette histoire.

« Le père de Perceval a été ......, il a perdu .... A la mort du père du ......, les gentilshommes ont été ...... et ont perdu leurs .... Le père s'est enfui dans .... A cette époque Perceval était âgé de .... Il avait .... s'est rendu à la cour du roi d'Escavalon pour être adoubé, l'autre chez .... Sur le chemin du retour, ils ont été .... Le père est mort .... »

A. deux frères - B. du deuil de ses fils - C. le roi Ban de Gonneret - D. L'aîné - E. terres - F. ses grandes terres, son trésor - G. détruits - H. blessé dans un combat - I. tués en combat - J. deux ans - K. son manoir de la Gaste Forêt - L. le roi Arthur

Solutions page 254

Parlez-vous ancien français ?

L'ancien français est très différent de la langue que nous utilisons actuellement; voici un extrait de *Perceval* tel qu'il a été écrit par Chrétien de Troyes.

> *La pucel de peor tranble*
> *por le vaslet qui fol li sanble*
> *si se tient por fole provee*
> *de ce qu'il l'a sole trovee.*
> *« Vaslez, fet ele, tien ta voie.*
> *– Einz vos beiserai par mon chief,*
> *fet li vaslez, cui qu'il soit grief,*
> *que ma mere le m'anseigna.*
> *– Je, voir, ne te beiseré ja,*
> *fet la pucele, que je puisse.*
> *Fui que mes amis ne te truisse,*
> *que, s'il te trueve, tu es morz. »*

Pour vous aider dans votre traduction, voici quelques indications :

Einz : cependant - *chief* : tête - *cui qu'il soit grief* : tant pis pour qui s'en fâchera

Solutions page 254

Sot et vaillant

Aussitôt qu'il le voit arriver en son château, Gorneman de Gorhaut a reconnu le jeune Gallois pour ce qu'il était : « naïf et sot » (p. 46). Cependant, il va revenir sur ce jugement. Car, en même temps que sa naïveté, le valet manifeste une incontestable bravoure.

1. Voici quelques-unes des actions et des réflexions du jeune homme. Indiquez celles qui montrent la naïveté et celles qui suggèrent la bravoure. Attention, il peut arriver que certaines actions ou réflexions vous fassent hésiter…

1. « Sire, ainsi m'enseigna ma mère »
2. Le jeune Gallois sait vêtir et se dévêtir de ses armes
3. Il joute avec la lance et l'écu

4. Si sa lance se brise, il se servira de ses poings
5. Il refuse de porter des vêtements neufs

2. Imaginez que cette histoire se passe de nos jours. Quel but se fixerait Perceval? En une dizaine de lignes, racontez une scène identique à celle que vous venez de lire en transposant à notre époque les actions évoquées ci-dessus.

Solutions page 254

La mère et le prudhomme

Certains conseils de Gorneman de Gorhaut rejoignent ceux de la mère du jeune homme. (p. 51) D'autres sont assez différents. Voici ces conseils:

1. Épargnez votre adversaire qui crie merci
2. Allez prier à l'église et au moutier
3. Secourez, si vous le pouvez, ceux qui sont dans la détresse
4. Ne dites plus que vous avez été enseigné par votre mère
5. Gardez-vous d'importuner les dames et les demoiselles
6. Ne parlez pas trop volontiers
7. Allez souvent prier au moutier
8. Allez avec les prudhommes
9. Demandez leur nom à vos compagnons
10. Secourez les dames et les demoiselles dans la peine

Lesquels ont été donnés à Perceval par Gorneman de Gorhaut?
Que vous révèlent-ils sur la mère du jeune homme et le prudhomme qui se charge de son instruction? Essayez, au cours d'un débat, de justifier ces deux points de vue.

Solutions page 254

Perceval le Gallois
ou Perceval le Chétif?

A la fin de la première partie, le héros apprend son nom : Perceval le Gallois.

Mais, devant les bévues qu'il a accumulées, sa cousine rectifie aussitôt et le surnomme par raillerie : « Perceval le Chétif » (en ancien français, « le malheureux, le maladroit »).

Voici quelques-uns des comportements adoptés par Perceval dans cette première partie.

1. Le jeune homme reste indifférent lorsque sa mère lui raconte l'histoire de sa famille.

2. Il quitte sa mère sans la secourir quand elle s'évanouit.

3. Il brutalise une jeune femme sans écouter ses protestations.

4. Il n'a cure des malheurs du roi Arthur.

5. Il laisse Keu gifler une pucelle.

6. Il ne pense qu'à s'emparer des armes du chevalier Vermeil.

7. Il promet de venger la pucelle giflée par Keu.

8. Il défend Blanchefleur contre Anguingueron.

9. Il épargne Anguingueron après l'avoir défait.

10. Il envoie Clamadeu et Anguingueron se constituer prisonniers du roi Arthur.

11. Il se rend au château du Roi Pêcheur et ne pose aucune question sur le Graal.

12. Il se lance à la poursuite du félon qui a tué l'ami de sa cousine.

Quels sont les comportements qui justifieraient le nom de Perceval le Gallois? Et celui de Perceval le Chétif?
Perceval s'est-il toujours conduit comme il le devait?
Parmi les « exploits » qui ne vous paraissent pas relever de la parfaite chevalerie, choisissez-en un ou deux et, en une dizaine de lignes, essayez d'expliquer – voire de justifier – le comportement du jeune chevalier.

DEUXIÈME PARTIE (p. 113-222)

Vingt questions pour conclure

1. *L'Orgueilleux de la Lande maltraite son amie :*
A. Pour lui apprendre l'humilité
B. Par jalousie
C. Sur les conseil de Keu

2. *Pour ses colères subites, Sagremor est surnommé :*
A. Sagremor le Désaxé
B. Sagremor le Dégénéré
C. Sagremor le Déréglé

3. *Qui avait prédit que Perceval briserait la clavicule et le bras droit de Keu ?*
A. Le fou du roi
B. La pucelle outragée par Keu
C. Le roi Arthur

4. *Gauvain se propose d'amener Perceval au roi, par :*
A. La force
B. La ruse
C. La persuasion

5. *Après avoir entendu la laide pucelle, Perceval décide :*
A. De découvrir le mystère du Graal
B. D'aller jouter au château de l'Orgueilleux
C. De secourir la pucelle de Montesclaire

6. *Gauvain ne participe pas au tournoi de Mélian de Lis parce que :*
A. Il n'aime pas la violence inutile
B. Il doit se rendre chez le roi d'Escavalon
C. Il craint d'être blessé

7. *La fille cadette de sire Thibaut désire que Gauvain participe au tournoi :*
A. Par amour pour lui
B. Pour se venger de sa sœur
C. Parce qu'aucun chevalier ne se bat pour elle

8. *Après chaque victoire Gauvain offre à une dame :*
A. La lance de son adversaire
B. Les rubans de son adversaire
C. La monture de son adversaire

9. *Dans la ville où on lui offre l'hospitalité, Gauvain est accusé :*
A. D'en avoir autrefois tué le roi
B. De s'être mal conduit avec la sœur du chevalier
C. De s'être montré discourtois

10. *Le duel entre Gauvain et Guigambrésil est reporté d'un an pour :*
A. Permettre à Guigambrésil de mieux se préparer au combat
B. Oublier la pénible mésaventure de Gauvain
C. Permettre à Gauvain de rapporter la lance dont la pointe saigne

11. *Lorsque le conte revient à Perceval, il s'est passé :*
A. Trois ans
B. Cinq ans
C. Sept ans

12. *Perceval apprend par l'ermite que le Roi Pêcheur est :*
A. Son cousin
B. Son oncle
C. Son frère

13. *L'ermite n'a pas donné un de ces conseils à Perceval :*
A. Épargner un adversaire qui demande merci
B. Prier Dieu aussi souvent que possible
C. Honorer les prudhommes et les prudefemmes

14. *S'il meurt, Gréoréas voudrait que Gauvain :*
A. Lui creuse une sépulture chrétienne
B. Fasse dire une messe pour le repos de son âme
C. Prenne soin de sa dame

15. *Gauvain a châtié Gréoréas pour avoir :*
A. Efforcé une pucelle
B. Manqué de loyauté envers du roi Arthur
C. Manifesté de la couardise dans un combat

16. *Le nautonier réclame le cheval que montait le neveu de Gréoréas parce que :*
A. Le cheval lui plaît
B. Le neveu de Gréoréas le lui a donné
C. La tradition veut qu'il ait le cheval d'un cavalier abattu devant lui

17. *Gauvain, promu défenseur du château, apprend par le nautonier :*
A. Qu'il doit épouser la reine
B. Qu'il doit épouser une des pucelles du château
C. Qu'il lui est interdit de quitter le château

18. *Selon la rumeur, celui qui sautera le gué Périlleux :*
A. Sera le plus vaillant d'entre tous
B. Connaîtra le mystère du Graal
C. Connaîtra la fée Viviane

19. *La reine aux cheveux blancs qui reçoit Perceval est :*
A. La mère du roi Arthur
B. La femme du roi Loth
C. La sœur de Guiromelan

20. *Guiromelan et Gauvain*
régleront leur différend:
A. Devant quelques témoins
B. Devant la cour d'Arthur
et la noblesse du royaume
de Guiromelan
C. En s'efforçant de se comprendre et de se pardonner

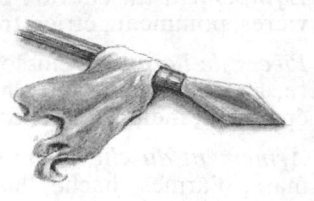

Solutions page 254

Le grand combat

Peut-être connaissez-vous ce poème d'Henri Michaux:
Le Grand combat. Si ce n'est pas le cas, en voici un
extrait:

> *Il l'emparouille et l'endosque contre terre;*
> *Il le rague et le roupète jusqu'à son drâle;*
> *Il le pratèle et le libucque et lui barufle*
>   *les ouillais;*
> *Il le tocarde et le marmine,*
> *Le manage rape à ri et ripe à ra.*
> *Enfin il l'écorcobalisse.*
> *L'autre hésite, s'espudrine, se défaisse, se torse*
>   *et se ruine.*
> *C'en sera bientôt fini de lui.*
> *Il se reprise et s'emmargine... mais en vain.*
> *Le cerveau tombe qui a tant roulé.*
> *Abrah! Abrah! Abrah!*
> *Le pied a failli!*
> *Le bras a cassé!*
> *Le sang a coulé!*
> *(...)*

1. A votre tour, racontez le grand combat entre Perceval
et Keu.

2. Les éléments suivants correspondent à des pièces
d'arme et de cavalerie en usage à l'époque de Chrétien
de Troyes.
Choisissez ceux qui vous conviennent et utilisez-les à la
manière de Michaux.

Équipement du cheval : caparaçon, matelassure, étrivières, pommeau, étrier, troussequin, rênes, éperons

Pièces de l'armure : cuissot, armet, cubitière, genouillère, gantelet, tassette, plastron, soleret à la poulaine, épaulière, mentonnière, cotte de mailles, jambière

Armement du chevalier : écu, heaume, haubert, épée, masse d'armes, hache, fléau, bouclier, lance, javelot

Choisissez de préférence les éléments qui résonnent de façon martiale. Voici un exemple de ce que vous pouvez faire :

Il le caparaçonne et le troussequine contre terre ;
Il l'éperonne et le cuissote jusqu'à son épaulière ;
Il le javelote et le...

Bien entendu, vous pouvez continuer ce poème, mais vous pouvez aussi le reprendre depuis le début selon la manière qui vous convient.

La pucelle épouvantable

La pucelle qui salue le roi Arthur est, pour le moins, repoussante :

« (...) ses deux yeux n'étaient que deux trous, pas plus gros que les yeux de rat. Son nez était un nez de chat, ses lèvres d'âne ou bien de bœuf. Sa barbe était celle d'un bouc. Sa poitrine toute bossue, son échine toute tordue. Reins et épaules très bien faits pour mener le bal ! Une autre bosse dans le dos, jambes tordues comme verge d'osier très convenables aussi pour la danse. » (p. 109)

1. A votre avis, pourquoi Chrétien de Troyes utilise-t-il pour décrire ce personnage des comparaisons principalement empruntées au règne animal ? L'apparence de la laide demoiselle vous semble-t-elle s'accorder au discours qu'elle tient et aux événements qu'elle prédit ?

2. Imaginez qu'à la place de la pucelle épouvantable, une jeune fille d'une beauté radieuse se soit présentée devant la cour. A quelles images feriez-vous appel pour la décrire ? En quels termes s'adresserait-elle à Perceval ? Rédigez cette scène en une dizaine de lignes.

Le héros au cœur pur

Le 26 juillet 1882, un musicien reprend le mythe du héros au cœur pur, dans un opéra qu'il fait jouer sous le titre de *Parsifal*. Quel est ce musicien célèbre?

1. Mozart
2. Berlioz
3. Wagner
4. Berg

Solutions page 255

« Ni honte ni mésaise »

Gréoréas demande à Gauvain de prendre soin de sa dame s'il lui arrivait malheur : « Qu'elle n'ait ni honte ni mésaise » implore-t-il. *Mésaise* est un mot ancien formé du préfixe *mé* qui signifie mal et du radical *aise*.
Beaucoup d'autres mots sont construits avec ce préfixe. En voici quelques-uns, accompagnés de leur définition. Mais attention! Des intrus se sont glissés dans cette liste...

1. *mécompte* : se tromper dans ses comptes
2. *mélisse* : rugueux, mal lissé
3. *mésalliance* : mauvais mariage, mal assorti
4. *méprendre* : prendre une chose ou une personne pour une autre
5. *mésange* : mauvais ange
6. *mésaventure* : aventure désagréable, sans graves conséquences
7. *mélanger* : mal langer un nourrisson
8. *mésentente* : mauvaise entente
9. *mécène* : mauvais repas
10. *médire* : dire du mal des autres

Solutions page 255

Gauvain le mal aimé

Tout au long de ce récit, Gauvain, pourtant chevalier accompli, rencontre des gens qui le détestent ou qui le maudissent pour le tort qu'il leur a fait.

1. Quelles sont les accusations portées contre Gauvain et à qui a-t-il fait tort ? Dressez une liste de ses accusateurs en indiquant les motifs de leur haine et les éventuelles conséquences du conflit qui les oppose.

2. Gauvain cherche-t-il à se justifier ? Que pensez-vous de cette « justice des armes » ? Le combattant le plus valeureux a-t-il forcément le droit de son côté ? Essayez de trouver des exemples contemporains pour étayer ou justifier votre point de vue.

3. « Jamais pour tuer la limace, ne fut tel bruit en Lombardie » (p. 138)
Comment interprétez-vous cette phrase aux allures de proverbe ?
Essayez d'en composer d'autres sur le même modèle, en vous inspirant de personnages ou d'épisodes connus de la littérature.

Solutions page 255

2
JEUX ET APPLICATIONS

Les valeurs chevaleresques

Entre 1181 et 1190, Chrétien de Troyes compose *Perceval ou Le Roman du Graal*. Ce roman, inachevé, fut continué après la mort de l'auteur par différents écrivains du XIIIᵉ siècle. Le cycle du Graal eut un retentissement extrême dans toute l'Europe médiévale parce qu'il exaltait des valeurs dans lesquelles la féodalité se reconnaissait.

Parmi ces valeurs dont nous vous donnons la liste, deux se sont glissées de manière purement anachronique, lesquelles?

A. Fidélité envers son seigneur
B. Courtoisie envers les dames
C. Vaillance au combat
D. Générosité envers les démunis
E. Piété
F. Patriotisme
G. Simplicité du cœur et de l'esprit
H. Solidarité

Solutions page 255

Qui de Perceval ou de Gauvain?

1. L'histoire de Perceval se poursuit par celle de Gauvain. Mais saurez-vous attribuer à l'un ou l'autre de ces héros ses exploits et ses maladresses?

1. Il aide la reine Ygerne à briser un enchantement maléfique
2. Il ne pose aucune question en voyant le Graal
3. Il accepte de rendre justice à Guiromelan
4. Il accepte de se rendre chez le roi d'Escavalon pour rendre justice à Guigambrésil
5. Il défend Blanchefleur contre Anguingueron
6. Il s'engage à chercher la lance dont la pointe saigne
7. Il épargne Clamadeu et Anguingueron en les envoyant à la cour du roi Arthur

8. Il embrasse de force une pucelle et lui dérobe sa bague

9. Malgré la méchanceté de l'orgueilleuse de Nogres, il se met à son service

10. Il combat le Chevalier Vermeil uniquement pour lui prendre ses armes

11. Dans un tournoi, il joute pour la fille cadette de sire Thibaut

12 . Il défend la pucelle malmenée par l'Orgueilleux de la Lande

2. Selon vous, quel est le chevalier le plus accompli des deux ?

Voici les principaux devoirs d'un chevalier :

1. Loyauté vis-à-vis de son seigneur
2. Vaillance dans les combats
3. Générosité envers les pauvres et les orphelins
4. Courtoisie envers sa dame.

Comparez les comportements respectifs de Perceval et de Gauvain et dites qui est le plus fidèle à ses devoirs.

3. Imaginez que Perceval ait pris la place de Gauvain… Que se serait-il passé alors ? Choisissez un épisode et, en une vingtaine de lignes, racontez ce qui serait arrivé.

Solutions page 256

Le roi Arthur
et les chevaliers de la Table ronde

Faites le point sur vos connaissances sur le roi Arthur et ses chevaliers ! Bien entendu, lorsqu'une proposition vous paraît fausse, il convient de rétablir la vérité…

1. Le roi Arthur est le roi de trente royaumes

2. Le roi Arthur est le fils d'Uterpendragon et de la reine Guenièvre

3. C'est Merlin qui a aidé Uterpendragon à s'introduire chez le duc de Tintagel pour y approcher sa femme

4. Le roi Arthur a été élevé par la fée Viviane

5. A seize ans, Arthur réussit à arracher l'épée magique Excalibur de l'enclume où elle était fichée

6. Il y avait 360 sièges autour de la Table ronde

7. Le siège vide de la Table ronde était réservé au chevalier qui trouverait le Graal

8. Gauvain, accompagné de Perceval, réussit à arriver jusqu'au Graal

9. Le roi Arthur a conçu son fils Mordred avec la fée Viviane

10. Le roi Arthur et Mordred sont morts en combattant l'un contre l'autre

Solutions page 256

Pucelles et damoiselles

Certains mots qui sont employés dans le texte peuvent prêter à confusion ou tout simplement être ignorés des lecteurs. Pour vous aider à mieux les comprendre, nous vous en proposons la liste; vous ferez correspondre chaque terme à sa définition.

A. Pucelle
B. Vavasseur
C. Sénéchal
D. Vassal
E. Damoiselle
F. Vilain
G. Moutier

1. Officier chargé de gouverner la maison d'un prince
2. Personne qui dépend d'un seigneur
3. Fille de qualité
4. Vassal d'un rang inférieur
5. Jeune fille
6. Paysan
7. Église

Solutions page 256

Couleurs et blasons

« Tout à coup ils voient entrer Guingambrésil, un écu d'or à bande d'azur à son bras. » (p. 112)

Comme tous les chevaliers, Guingambrésil porte au bras un écu où sont peintes ses armes et qui permet de le reconnaître dans les combats. Chaque seigneur a ainsi sa marque distinctive.

La science de ces emblèmes s'appelle l'héraldique. Elle a pris naissance sur les champs de bataille du Haut Moyen Age et est régie par un ensemble de règles à la fois simples et extrêmement rigoureuses.

1. Huit couleurs seulement sont employées en héraldique. Lesquelles ?

2. Quant à la forme des écus blasonnés, elle diffère suivant leur origine géographique. Saurez-vous identifier ces différentes formes d'écus ?

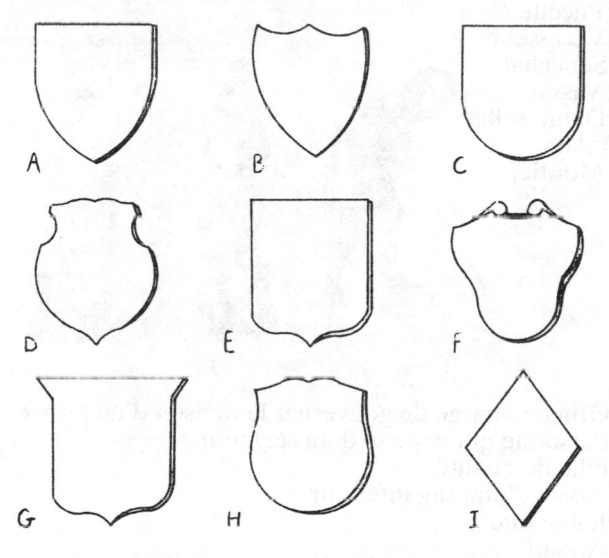

1. Français - 2. Français moderne - 3. Espagnol - 4. Polonais - 5. Anglais - 6. Europe centrale - 7. Italien - 8. Écu de dame - 9. Suisse

3. Sur un écu, on distingue :
- Le fond ou *champ*
- Les pièces qui le surchargent ou *meubles* (bandes, barres, animaux, motifs floraux etc.)

De plus, l'écu peut être divisé en plusieurs parties :
Voici quelques-unes des partitions les plus courantes. A vous de les identifier.

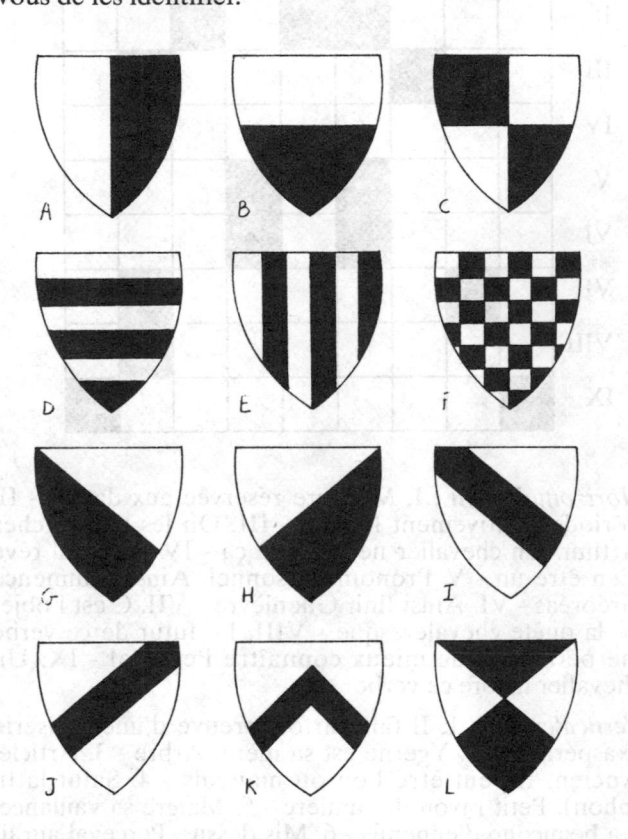

1. Barre - 2. Bande - 3. Parti - 4. Coupé - 5. Chevron - 6. Écartelé - 7. Écartelé en sautoir - 8. Tranché - 9. Taillé - 10. Fascé - 11. Palé - 12. Échiqueté

Solutions page 256

Les mots croisés du Graal

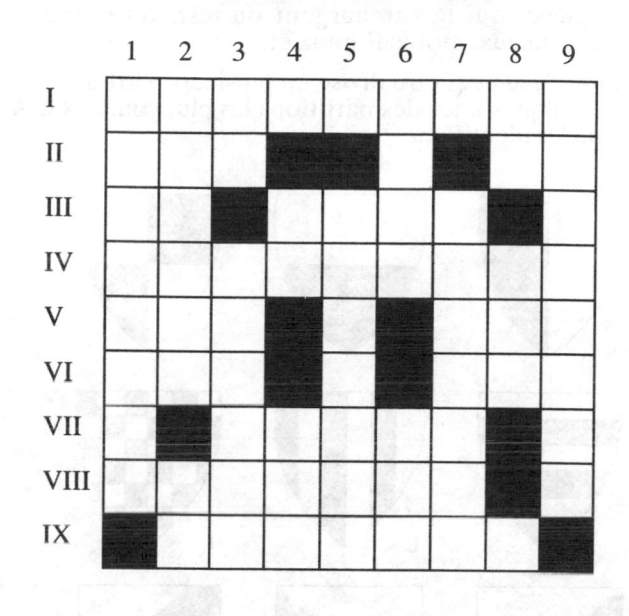

Horizontalement : I. Monture réservée aux dames - II. Période relativement longue - III. On les trouve chez Arthur. Un chevalier ne fait que ça - IV. Perceval rêve d'en être un - V. Pronom personnel. Ainsi commence Gréoréas - VI. Ainsi finit Guenièvre - VII. C'est l'objet de la quête chevaleresque - VIII. Le futur de ce verbe me permettra de mieux connaître Perceval - IX. Un chevalier ignore ce verbe

Verticalement : 1. Il fait parfois preuve d'une niaiserie exaspérante - 2. Ygerne est sa mère. Arbre - 3. Article. Ancien. Il peut être bon ou mauvais - 4. Salut latin (phon). Petit rayon de lumière - 5. Malgré sa vaillance, il a beaucoup d'ennemis - 6. Mis dessus, Perceval aurait peut-être commis moins de bévues - 7. Cette façon de se divertir peut manquer de courtoisie - 8. Durée - 9. Ce chevalier est connu pour son irascibilité

Solutions page 256

3
LE ROMAN
D'APPRENTISSAGE
DANS LA LITTÉRATURE

Gil Blas de Santillane

Livré très jeune à lui-même, Gil Blas a connu bien des aventures. Il a côtoyé aussi bien de fieffés coquins que des grands seigneurs hautains et méprisants. Mais, loin de se laisser étourdir par le tourbillon du monde, il y acquiert au contraire la sagesse et le goût de la tranquillité. A la fin de ce récit, fatigué d'une existence tumultueuse, il décide d'épouser la sœur d'un de ses amis.

« L'envie que j'avais de paraître agéable à cette dame me fit employer trois bonnes heures pour le moins à m'ajuster, à m'adoniser; encore ne pus-je parvenir à me rendre content de ma personne. Pour un adolescent qui se prépare à voir sa maîtresse, ce n'est qu'un plaisir; mais pour un homme qui commence à vieillir, c'est une occupation. Cependant je fus plus heureux que je ne le méritais. Je revis la sœur de don Juan, et j'en fus regardé d'un œil si favorable, que je m'imaginai valoir encore quelque chose. J'eus avec elle un long entretien. Je fus charmé du caractère de son esprit, et je jugeai qu'avec de bonnes façons et beaucoup de complaisance je deviendrais un époux chéri. Plein d'une si douce espérance, j'envoyai chercher deux notaires à Valence, qui firent le contrat de mariage; puis nous eûmes recours au curé de Paterna, qui vint à Lirias, et nous maria don Juan et moi à nos maîtresses.

Je fis donc allumer pour la seconde fois le flambeau de l'hyménée, et je n'eus pas sujet de m'en repentir. Dorothée, en femme vertueuse, se fit un plaisir de son devoir; et, sensible au soin que je prenais d'aller au-devant de ses désirs, elle s'attacha bientôt à moi comme si j'eusse été jeune. D'une autre part, don Juan et ma filleule s'enflammèrent d'une ardeur mutuelle; et, ce qu'il y a de singulier, les deux belles-sœurs conçurent

l'une pour l'autre la plus vive et la plus sincère amitié. De mon côté, je trouvai dans mon beau-frère tant de bonnes qualités, que je me sentis naître pour lui une véritable affection, qu'il ne paya point d'ingratitude. Enfin, l'union qui régnait entre nous était telle, que le soir, lorsqu'il fallait nous quitter pour nous rassembler le lendemain, cette séparation ne se faisait pas sans peine; ce qui fut cause que des deux familles nous résolûmes de n'en faire qu'une, qui demeurerait tantôt au château de Lirias, et tantôt à celui de Jutella, auquel, pour cet effet, on fit de grandes réparations des pistoles de Son Excellence.

Il y a déjà trois ans, ami lecteur, que je mène une vie délicieuse avec des personnes si chères. Pour comble de satisfaction, le ciel a daigné m'accorder deux enfants, dont l'éducation va devenir l'amusement de mes vieux jours, et dont je crois pieusement être le père. »

Le Sage,
Gil Blas de Santillane

Candide

Persuadé, comme le lui a enseigné son maître Pangloss, que «tout va pour pour le mieux dans le meilleur des mondes possibles» Candide parcourt l'Europe et l'Amérique latine, sans réussir à vérifier le bien-fondé de cette affirmation. Il ne voit que misères, persécutions et intolérance. Finalement, revenu de ses aventures, il s'installe en Turquie pour se consacrer à l'exploitation de ses biens et à la prospérité des siens.

« Candide, en retournant dans sa métairie, fit de profondes réflexions sur le discours du Turc. Il dit à Pangloss et à Martin :
— Ce bon vieillard me paraît s'être fait un sort bien préférable à celui des six rois avec qui nous avons eu l'honneur de souper.
— Les grandeurs, dit Pangloss, sont fort dangereuses, selon le rapport de tous les philosophes : car enfin Églon, roi des moabites, fut assassiné par Aod; Absalon fut pendu par les cheveux et percé de trois dards; le roi Nadab, fils de Jéroboam, fut tué par Baasa; le roi Éla,

par Zambri ; Ochosias, par Jéhu ; Athalia, par Joïada ; les rois Joachim, Jechonias, Sédécias, furent esclaves. Vous savez comment périrent Crésus, Astyage, Darius, Denys de Syracuse, Pyrrhus, Persée, Annibal, Jugurtha, Arioviste, César, Pompée, Néron, Othon, Vitellius, Domitien, Richard II d'Angleterre, Édouard II, Henri VI, Richard III, Marie Stuart, Charles Ier, les trois Henri de France, l'empereur Henri IV ? Vous savez...

– Je sais aussi, dit Candide, qu'il faut cultiver notre jardin.

– Vous avez raison, dit Pangloss ; car quand l'homme fut mis dans le jardin d'Eden, il y fut mis *ut operaretur eum*, pour qu'il y travaillât : ce qui prouve que l'homme n'est pas né pour le repos.

– Travaillons sans raisonner, dit Martin ; c'est le seul moyen de rendre la vie supportable.

Toute la petite société entra dans ce louable dessein ; chacun se mit à exercer ses talents. La petite terre rapporta beaucoup. Cunégonde était, à la vérité, bien laide ; mais elle devint une excellente pâtissière ; Paquette broda ; la vieille eut soin du linge. Il n'y eut pas jusqu'à frère Giroflée qui ne rendît service ; il fut un très bon menuisier, et même devint honnête homme ; et Pangloss disait quelquefois à Candide :

– Tous les événements sont enchaînés dans le meilleur des mondes possibles : car enfin si vous n'aviez pas été chassé d'un beau château à grands coups de pied dans le derrière pour l'amour de mademoiselle Cunégonde, si vous n'aviez pas été mis à l'Inquisition, si vous n'aviez pas couru l'Amérique à pied, si vous n'aviez pas donné un bon coup d'épée au baron, si vous n'aviez pas perdu tous vos moutons du bon pays d'Eldorado, vous ne mangeriez pas ici des cédrats confits et des pistaches.

– Cela est bien dit, répondit Candide, mais il faut cultiver notre jardin. »

Voltaire,
Candide

Black boy

Dans ce récit largement autobiographique, Richard Wright raconte son enfance dans le sud des États-Unis.

Noir, pauvre, il a dû affronter toutes sortes de brimades et de vexations de la part des Blancs. Mais, loin de le désarmer, cette adversité a constitué une dure école de l'existence. Il en a tiré un enseignement qu'il livre en conclusion.

« Et cependant, au profond de moi-même, je savais que je ne pourrais jamais quitter réellement le Sud, car mes sentiments avaient déjà été façonnés par le Sud, car, tout noir que je fusse, la culture du Sud s'était peu à peu infiltrée dans ma personnalité et dans ma conscience. Aussi, en partant, j'emportais une parcelle du Sud pour la transplanter dans un sol étranger, afin de voir si elle pouvait croître différemment, si elle pouvait boire une eau fraîche et nouvelle, se courber au souffle de vents étrangers, réagir à la chaleur de soleils nouveaux, et peut-être fleurir... Et si ce miracle s'accomplissait, je saurais alors qu'il y a encore de l'espoir dans cette fondrière de désespoir et de violence qu'est le Sud, je saurais que la lumière peut naître même des ténèbres les plus noires. Je saurais que le Sud lui aussi pourrait vaincre sa peur, sa haine, sa lâcheté, son héritage de crimes et de sang, son fardeau d'angoisse et de cruauté forcenée.

L'œil aux aguets, portant des cicatrices visibles et invisibles, je pris le chemin du Nord, imbu de la notion brumeuse que la vie pouvait être vécue avec dignité, qu'il ne fallait pas violer la personnalité d'autrui, que les hommes devraient pouvoir affronter d'autres hommes sans crainte ni honte et qu'avec de la chance – dans leur existence terrestre – ils pourraient peut-être trouver une sorte de compensation aux luttes et aux souffrances qu'ils endurent ici-bas sous les étoiles. »

Richard Wright,
Black Boy,
traduction de Marcel Duhamel et André R. Picard,
© Gallimard

Une vie

A peine sortie du couvent, Jeanne épouse le vicomte de Lamare, homme brutal et intéressé, incapable de sentiments profonds. Sensible, ignorante et exaltée, Jeanne est

*profondément blessée par les réalités du mariage et les
infidélités de Julien, qui trouvera une fin tragique dans
un accident provoqué par un mari jaloux Jeanne cherche
alors un réconfort dans l'affection exclusive de son fils,
qu'elle idolâtre : mais celui-ci dissipe follement les restes
de la fortune familiale et finit par épouser une prostituée,
qui meurt en lui donnant un enfant. Jeanne, recueillie au
bord de la folie et de la misère par Rosalie, sa sœur de
lait, paysanne avisée qui sait à merveille gérer ses biens,
décide d'élever l'orpheline et de donner ainsi un sens à
une vie jusque-là vouée à la solitude et au malheur.*

« Elle restait debout sur le quai, l'œil tendu sur la
ligne droite des rails qui fuyaient en se rapprochant là-
bas, là-bas, au bout de l'horizon. De temps en temps
elle regardait l'horloge. – Encore dix minutes – Encore
cinq minutes – Encore deux minutes – Voici l'heure –
Rien n'apparaissait sur la voie lointaine. Puis tout à
coup elle aperçut une tache blanche, une fumée, puis,
au-dessous, un point noir qui grandit, grandit, accourant
à toute vitesse. La grosse machine enfin, ralentissant sa
marche, passa, en ronflant, devant Jeanne, qui guettait
avidement les portières. Plusieurs s'ouvrirent ; des gens
descendirent, des paysans en blouse, des fermières avec
des paniers, des petits bourgeois en chapeau mou. Enfin
elle aperçut Rosalie qui portait en ses bras une sorte de
paquet de linge.

Elle voulut aller vers elle, mais elle craignait de tomber tant ses jambes étaient devenues molles. Sa bonne,
l'ayant vue, la rejoignit avec son air calme ordinaire ; et
elle dit :

– Bonjour, Madame ; me v'là revenue, c'est pas sans
peine.

Jeanne balbutia :

– Eh bien ?

Rosalie répondit :

– Eh bien, elle est morte c'te nuit. Ils sont mariés, v'là
la petite.

Et elle tendit l'enfant qu'on ne voyait point dans ses
linges.

Jeanne la reçut machinalement et elles sortirent de la
gare, puis montèrent dans la voiture.

Rosalie reprit :

– M. Paul viendra dès l'enterrement fini. Demain à la même heure, faut croire.

Jeanne murmura "Paul..." et n'ajouta rien.

Le soleil baissait vers l'horizon, inondant de clarté les plaines verdoyantes, tachées de place en place par l'or des colzas en fleur, et par le sang des coquelicots. Une quiétude infinie planait sur la terre tranquille où germaient les sèves. La carriole allait grand train, le paysan claquant de la langue pour exciter son cheval.

Et Jeanne regardait droit devant elle en l'air, dans le ciel que coupait, comme des fusées, le vol cintré des hirondelles. Et soudain une tiédeur douce, une chaleur de vie traversant ses robes, gagna ses jambes, pénétra sa chair; c'était la chaleur du petit être qui dormait sur ses genoux.

Alors une émotion infinie l'envahit. Elle découvrit brusquement la figure de l'enfant qu'elle n'avait pas encore vue : la fille de son fils. Et comme la frêle créature, frappée par la lumière vive, ouvrait ses yeux bleus en remuant la bouche, Jeanne se mit à l'embrasser furieusement, la soulevant dans ses bras, la criblant de baisers.

Mais Rosalie, contente et bourrue, l'arrêta.

– Voyons, voyons, madame Jeanne, finissez; vous allez la faire crier.

Puis elle ajouta, répondant sans doute à sa propre pensée :

– La vie, voyez-vous, ça n'est jamais si bon ni si mauvais qu'on croit. »

Guy de Maupassant,
Une vie

4
SOLUTIONS DES JEUX

Allez-vous jusqu'au bout de vos entreprises ?
(p. 225)

Si vous avez une majorité de △ : Rien ne vous détourne de la voie que vous vous êtes tracée. Mais on peut vous reprocher parfois une certaine intransigeance.

Si vous avez une majorité de ☐ : lorsqu'un projet vous tient à cœur, vous faites de votre mieux pour le mener à bien. Mais vous savez aussi jeter l'éponge lorsqu'une entreprise vous semble irréalisable…

Si vous avez une majorité de ○ : vous débordez de projets mais, dès que vous rencontrez une difficulté, vous avez tendance à baisser les bras… Ne vous laissez pas aller à la facilité.

Vingt questions pour commencer
(p. 227)

1 : B (p. 19) - 2 : A (p. 20) - 3 : B (p. 22) - 4 : C (p. 26) - 5 : C (p. 28) - 6 : C (p. 30) - 7 : A (p. 30) - 8 : B (p. 36) - 9 : C (p. 37) - 10 : B (p. 37) - 11 : B (p. 51) - 12 : A (p. 57) - 13 : C (p. 63) - 14 : B (p. 63) - 15 : C (p. 72) - 16 : A (p. 79) - 17 : B (p. 81) - 18 : B (p. 81) - 19 : B (p. 85) - 20 : C (p. 87)

Si vous obtenez de 15 à 20 bonnes réponses : vous méritez le titre de prudhomme. Preux et attentif, vous seriez pour Perceval un précieux compagnon. Bravo !

Si vous obtenez de 8 à 14 bonnes réponses : il vous arrive parfois d'être distrait… mais vous aurez droit à une seconde chance, et les portes du château du Roi Pêcheur s'ouvriront de nouveau pour vous.

Si vous obtenez moins de 8 bonnes réponses : en continuant ainsi, vous n'atteindrez jamais le Graal, et le surnom de « chétif » risque fort de vous être donné !

Verbes et proverbes
(p. 229)

2. A : 3 - B : 4 - C : 1 - D : 5 - E : 2

« Chu de peur »
(p. 230)

Chu provient du verbe « cheoir », en ancien français. Ce verbe est devenu « choir » en français contemporain, c'est-à-dire : « tomber ».

Qu'est-ce qu'un valet ?
(p. 231)

6 : inexacte - 4 : convient à Perceval.

La famille de Perceval
(p. 231)

Ce passage se trouve p. 28.

Parlez-vous ancien français ?
(p. 232)

P. 33 : « La pucelle tremble… ou tu es mort. »

Sot et vaillant
(p. 232)

1. Naïveté : 1, 2, 4, 5 - Bravoure : 2, 3, 4

La mère et le prudhomme
(p. 233)

Conseils donnés par Gorneman de Gorhaut : 1, 3, 4, 6, 7

Vingt questions pour conclure
(p. 235)

1 : B (p. 94) - 2 : C (p. 100) - 3 : A (p. 73) - 4 : C (p. 103) - 5 : A (p. 111) - 6 : B (p. 119) - 7 : B (p. 124) - 8 : C (p. 130) - 9 : A (p. 137) - 10 : C (p. 143) - 11 : B (p. 144) - 12 : B (p. 149) - 13 : A (p. 150) - 14 : C (p. 153) - 15 : A (p. 163) - 16 : C (p. 170) - 17 : C (p. 183) - 18 : A (p. 194) - 19 : A (p. 199) - 20 : B (p. 202)

Si vous obtenez de 15 à 20 bonnes réponses : vous êtes

prêt à accomplir de hauts faits... ou à les célébrer, en ajoutant vous-même de modernes continuations à ce *Roman du Graal*!

Si vous obtenez de 8 à 14 bonnes réponses : vous avez chevauché d'un train rapide à travers cette histoire, mais bien des détails vous ont échappé, qu'un chevalier accompli ne doit pas négliger.

Si vous obtenez moins de 8 bonnes réponses : vous vous êtes endormi sur le lit de la Merveille, et le lion féroce vous a dévoré... comment expliquer autrement une telle distraction ? Reprenez le livre depuis le début, vous aurez peut-être une bonne surprise.

Le héros au cœur pur
(p. 239)

Richard Wagner

« Ni honte ni mésaise »
(p. 239)

Les intrus : 2. mélisse : plante aromatique - 5. mésange : un oiseau - 7. mélanger : mettre ensemble des choses différentes - 9. mécène : personne qui aide financièrement les artistes

Gauvain le mal aimé
(p. 239)

3. Cette phrase fait allusion à une fable en latin, attribuée à Ovide au Moyen Age. Sans doute écrite au début du XIIe siècle par un clerc ou « goliard » (étudiant), elle tourne en ridicule un Lombard qui fait beaucoup de préparatifs et de discours pour aller combattre un monstre cornu qui n'est en fait... qu'une limace. Chrétien de Troyes se moque ici des bourgeois qui s'arment en nombre pour aller combattre un homme seul.

Les valeurs chevaleresques
(p. 241)

Sont à exclure de l'idéal chevaleresque F et H.

Qui de Perceval ou de Gauvain?
(p. 241)

Perceval : 2, 5, 7, 8, 10, 12 - Gauvain : 1, 3, 4, 6, 9, 11

Le roi Arthur
et les chevaliers de la Table ronde
(p. 242)

1. Vrai - 2. Faux: le roi Arthur est le fils d'Uterpendragon et de la reine Ygerne - 3. Vrai - 4. Faux: le roi Arthur a été élevé par l'enchanteur Merlin - 5. Vrai - 6. Faux : il y avait 365 sièges autour de la Table ronde - 7. Vrai - 8. Faux : c'est Galaad, accompagné de Perceval - 9. Vrai - 10. Vrai.

Pucelles et damoiselles
(p. 243)

A : 5 - B : 4 - C : 1 - D : 2 - E : 3 - F : 6 - G : 7

Couleurs et blasons
(p. 244)

1. Les **émaux** : *Gueules* (rouge) - *Azur* (bleu) - *Sable* (noir) - *Sinople* (vert) - *Pourpre* et *orange*
Les **métaux** : *or* et *argent*. On peut y ajouter deux **fourrures** : *Hermine* et *vair*
2. 1 : A - 2 : E - 3 : C - 4 : D - 5 : G - 6 : H - 7 : F - 8 : I - 9 : B
3. A : 3 - B : 4 - C : 6 - D : 10 - E : 11 - F : 12 - G : 8 - H : 9 - I : 1 - J : 2 - K : 5 - L : 7

Les mots croisés du Graal
(p. 246)

Horizontalement : I. Palefroi - II. Ere - III. RT. Agir - IV. Chevalier - V. Eux. G.RE - VI. V.RE - VII. Graal - VIII. Lirai - IX. Feindre
Verticalement : 1. Perceval - 2. Arthur. If - 3. Le. Ex. Gré - 4. Av. Rai - 5. Gauvain - 6. Rail - 7. Rigoler - 8. Ere - 9. Sagremor